Loïc Prigent est un journaliste et cinéaste spécialisé dans la mode. Ses documentaires (*Signé Chanel*, 2005, *Karl Lagerfeld se dessine*, 2013, *Les dessins d'Yves Saint Laurent*, 2017) sont des classiques du genre. Ses émissions sur Arte et Canal + (« Habillé(e)s pour », avec Mademoiselle Agnès) sont de grands succès.

Loïc Prigent

"J'ADORE LA MODE MAIS C'EST TOUT CE QUE JE DÉTESTE"

Grasset

Cet ouvrage a initialement paru dans la collection
« Le Courage » dirigée par Charles Dantzig.

Une saison 2017, inédite, a été ajoutée pour la présente édition.

TEXTE INTÉGRAL

ISBN 978-2-7578-6618-4
(ISBN 978-2-246-86289-5, 1ʳᵉ publication)

© Éditions Grasset & Fasquelle, 2016

Préface

"C'était tellement génial que je ne me souviens de rien." Je ne donnerai aucun nom. Bon d'accord. C'est Karl, c'est Donatella, c'est Anna, c'est moi, c'est le stagiaire, c'est l'assistant en plein pétage de plombs, c'est le couturier italien extrêmement déphasé, c'est mon camarade Léo très en forme en terrasse, c'est l'attaché de presse, le coiffeur, le créateur, l'assistant personnel fanatisé, c'est la cliente couture pétrodollarée, c'est la rédactrice qui croit être discrète alors qu'elle en a pour 12 000 euros de fringues sur le dos (mais comme elle n'a rien payé, elle n'a aucune notion). "Tout est dit, et l'on vient trop tard depuis plus de sept mille ans qu'il y a des hommes et qui pensent", dit La Bruyère. Qui pensent, qui s'habillent et qui vivent à Paris.

"Elle est belle mais il faudrait lui enlever le front." Quand cette phrase a été prononcée devant moi dans un studio, personne n'a réagi. La mannequin est restée figée, même pas émue du verdict. Le grand couturier qui venait de dire ça a continué à douter. La jeune fille n'avait pas vingt ans et il lui a annoncé ça, en parlant d'elle à la troisième personne. Tous les grands professionnels présents ont approuvé et la maquilleuse a pris un pinceau, du fond de teint mat, et a fait le geste d'effacer le front. La fille a fait trois pas et c'était bon, elle était enfin devenue belle. Nul n'a ri ou trouvé ça cruel, c'était simplement le processus de recherche de la perfection.

Mon métier c'est d'écouter ces gens parler. Et de mettre leur parole en valeur. J'aime filmer caméra à l'épaule, plus ou moins discrètement, plus ou moins oublié. J'aime rire avec eux, profiter de leur système de pensée fantaisiste. Pendant les défilés, je ris du matin au soir. "Je suis un régime à base de bonbons volés dans les Uber et de bouteilles d'eau." J'aime les défilés où tout le monde est content d'être de mauvaise humeur. Je pourrais même aimer cette ambiance excessive. On est dans la bulle d'une bulle d'une bulle, on râle de se faire draguer par Pharrell Williams. Le problème des privilèges c'est qu'on n'en peut plus très rapidement, quand on goûte au luxe on en veut toujours plus. Ces phrases deviennent comme une méditation sur le trop, mais avant tout, une franche rigolade (comme on dit chez Grasset et Chanel).

J'étais dans une salle de montage, et avec Julie une camarade monteuse, nous riions à gorge déployée à la folie joueuse de ce que disait une fameuse créatrice filmée la veille, dans les coulisses de son défilé. Mais voilà, le sujet terminé, le flot de paroles était devenu normal, prêt à être avalé et consommé, à peine remarqué, du babil vaguement bizarre, dont le relief avait été absorbé par le montage. Grande frustration, il fallait trouver le moyen de souligner les phrases les plus drôles, sans méchanceté, leur donner leur dimension de proverbe, d'une pensée mode étonnante et brute. Alors, nous avons écrit la phrase en énorme sur l'écran.

C'était très efficace bien sûr, la créatrice et son bagout prenaient toute leur mesure. Transcrire ce que disent les gens de mode est devenu une habitude.

"J'adore la mode mais c'est tout ce que je déteste." Le contexte dans lequel cette phrase a été prononcée est abracadabrant. Dans un endroit excentrique, par un individu invraisemblable, sans doute aussi cultivé que cinglé. Je pourrais raconter l'anecdote, franchement elle est drôle, mais je me dis que c'est plus intéressant de laisser cela hors de tout contexte. Cette phrase a été dite sérieusement, ce n'était même pas une blague, et on notera d'ailleurs que la plupart de ces phrases ont été proférées sans rire. Et bien sûr, j'ai compris ce que cette personne voulait dire. La mode est bien trop hostile pour être aimée en entier et on a beau éventuellement vouloir faire partie du club, on se doute bien qu'il faudra faire sacrifice de ses préconceptions de bienséance, décence et éventuellement compte en banque. "Je te dérange ? – Non ça va, je pensais à Prada."

La joie de la mode, c'est son aspect hors sol, on se toilette jusqu'à l'extase, on lâche toute notion de réel comme un lest inutile. Ici le normal banal n'existe pas. Le plus artificiel le mieux. Le renouvellement passe par la négation de ce qu'on pensait il y a cinq minutes. "Elle a fait énormément de trucs à sa peau. Maintenant son visage est derrière son crâne." La surenchère constante et plus ou moins inconsciente. Noter ces phrases, c'est aussi partager un secret, celui d'une forme sophistiquée d'insouciance, la preuve qu'il y a encore des énergumènes pour vivre le rêve pompadourien.

"Tu ne dis rien ?

– J'ai un long fou rire intérieur."

Les bonnes soirées sont-elles celles où on entend trois pépites merveilleuses de nouveau bon sens ou celles où l'on en entend mille et où l'on rit tant qu'on n'a rien noté rien retenu le lendemain ?

Comme les émigrés de Coblence, ces pépieurs ont tout appris et rien oublié. Leur quotidien est un vertige. Ont-ils raison ? Ont-ils tort ? Ils sont les oiseaux frivoles et sérieux d'une jungle unique : "Bienvenue dans l'asile psychiatrique le mieux habillé du monde."

Saison 2013

"C'est pas que je suis en retard c'est que je vis
sur le méridien de Greenwich et demi."

"Oui, elle se parfume énormément.
On l'appelle 'Le Sephora A Explosé'."

"Il n'est pas dans la dextérité mentale
mais il a un charme fou."

"Finalement, j'ai envie de confort.
J'en ai marre de subir mes vêtements."

"La collection était drôle !
– Oui mais on ne veut pas être drôle. On veut être belle."

"Tu sais, le monde se divise en deux groupes :
les ploucs et les gros ploucs."

"Je pourrais pas m'investir avec un mec
qui porte des T-shirts à col V."

"Je viens de voir Thierry Mugler en vrai."

"Je voulais qu'hier dure toute la vie."

"Je viens de finir *In Bed with Madonna*,
tu crois que je peux regarder *La Jetée* ?"

"Ton rêve vient d'appeler. Il dit que c'est ok."

"Profite de ton week-end,
mais surtout profite de toi !"

"Il ne faut jamais poser près d'une colonne.
Tu veux pas être plus mince ou plus épais que la colonne."

"T'as pas un synonyme de 'rayure' ?
C'est le premier jour et déjà je me répète grave."

"Mais oui je mange, je prends des vitamines C
le matin." (dit avec la plus grande sincérité)

"Tiens Nicolas Ghesquière m'a envoyé un texto."

"J'adore regarder
comment les vrais gens s'habillent."

"Le truc c'est de savoir si le défilé H&M
va pomper Céline ou Saint Laurent.
T'imagines si le défilé H&M te pompe pas ? La honte."

"Grosse c'est génial, t'as le visage
qui gonfle et tu n'as plus de rides."

"Ses défilés étaient vachement bien
jusqu'à ce qu'il se mette à réfléchir. Là j'y vais plus."

"C'est comme si elle avait la diarrhée des doigts
tellement elle tweete."

"Mon colloc cuistot s'est fait virer
par Valentino parce qu'il a loupé le soufflé
pour Anne Hathaway."

"Tu crois que ça prend feu vite ce sarouel ?"

"J'étais bourré
comme une mannequin anglaise."

"C'est toujours triste
quand la salle n'applaudit pas et que tu entends
l'équipe en coulisses qui hurle de joie."

"On était en réunion stratégie et Miuccia Prada
s'est mise à hurler sur son mari."

"On est en surchauffe,
tout ce qu'on dit devient intweetable."

"Lui aussi il a bien celinisé le propos."

"Avant toute la salle se ruait pour l'embrasser
à la fin du défilé. Maintenant il a deux bises
avec trois arrivistes russes."

"Son père a des Warhol
comme ton père a des chaussettes."

"Mon chauffeur est tellement touchant."

"Elle a appelé sa fille Liberté."

"Pour mes 40 ans on fait une fête
dans une péniche et on la coule."

"Cette maison avance grâce à la caféine
et l'espoir des stagiaires."

"Je suis devenue végétarienne. À la limite,
je peux commander un tartare mais c'est tout."

"Hier je dînais avec des gens riches qui parlaient de Lille.
À la fin j'ai compris qu'ils parlaient de 'L'île'."

"Il est moche. Il a un nez moche. Il m'excite."

"Elles vont encore toutes être en Valentino noir.
C'est le retour des clonasses."

"La saison dernière je brodais
avec des lunettes de soleil tellement c'était laid."

"L'agenda est devenu fou. Lundi j'ai dix dîners."

"Tu trouves la collection pas assez sexy ?
À part faire un trou sur le cul des jupes
je vois pas comment on peut faire plus sexy."

"On s'habitue au luxe, c'est affreux."

"Je viens d'acheter les baskets Raf Simons pour Adidas
chez Colette. Elles sont horribles. Je les adore."

"Elle écoute les idées de ses clients A et B.
Elle leur fout le doute, et les sauve en vendant à A
l'idée de B et inversement. Génie."

"Je sais que tu manges pas
mais prends au moins un Mint."

"Oh mais tu as fondu, c'est merveilleux !"

"La Lune est basse et énorme.
– Comme ton cul."

"Si tu as l'air reposé au retour de tes vacances
c'est qu'elles étaient ratées."

"Tu ne dis pas qu'elle prend trop de speed,
tu dis elle est diaphane."

"Tu ne dis pas lourd,
tu dis silhouette inattendue."

"Tu ne dis pas dépressive, tu dis cliente."

"Je suis extrêmement sur les rotules."

"J'ai pas encore eu le temps de le lire
mais il est génial ton magazine."

"La tête des vieilles rédactrices quand ils ont passé
le nouveau Britney chez Prada.
C'était un jerricane de Poppers dans un hospice."

"On est une maison de très grand luxe, ce qui veut dire que les animaux pour nos fourrures sont très bien tués."

"Elle veut 250 000, un jet de Londres mais elle ne portera pas de sac parce qu'elle a une exclu sac ailleurs."

"Pardon vous auriez de l'eau ?
– Seulement du champagne."

"Je déteste l'hypocrisie.
– Mais qu'est-ce que tu fous là alors ?"

"Je peux vous interviewer ?
– Mais je n'ai rien à dire sur le sujet.
– Ce n'est pas grave."

"Ruiné, il a supplié Mouna Ayoub
de lui acheter une robe couture. Elle l'a fait. Il voulait qu'elle la porte elle a dit faut pas exagérer."

"Elle a 15 ans. Elle est habillée
comme une prostituée du XXIIIe siècle."

"La Maison du Caviar pendant les défilés
c'est le Flunch des Halles."

"Elle m'a dit qu'on pouvait tout filmer.
Ensuite elle a précisé : sauf le créateur,
les équipes, le décor et ne pas poser de questions."

"L'inspiration c'est une fille en été
qui mange une glace."

"Regarde, c'est le petit que j'ai formé.
Depuis qu'il est entré chez LVMH
il ne me dit plus bonjour.
– Tu l'as bien formé."

"Oh merde j'ai fait tomber la vinaigrette
sur l'invitation Balenciaga et l'encre a coulé.
Tu peux me passer l'adresse du défilé ?"

"Laissez-moi entrer.– Mais vous êtes qui ?
– Google-me."

"T'es méchant. J'avais oublié que tu deviens méchant
deux fois par an pendant les défilés.
On se parle dans huit jours."

"Avant ma boss nous filait ses seconds rangs,
mais maintenant qu'elle reçoit des 3e rangs
je crois qu'elle brûle ses invitations."

"Depuis que ses collections sont moches
son chiffre d'affaires a été multiplié par dix."

"L'inspiration c'est une femme réelle.
Mais une réalité Balmain."

"Elle a quel âge ?
– Impossible à dire. Elle fait des liftings pervers
où le chirurgien laisse des vraies fausses rides."

"Dans mon téléphone
je l'ai enregistrée à Satan."

"J'ai fait un burn out des yeux."

"J'ai la flemme d'aller à la soirée
Pharrell Williams chez Castel."

"Ça va mon amour ?" (au stagiaire terrifié)

"On avait 300 000 de budget
pour les broderies au dernier défilé
mais ça cartonne alors ils nous ont enlevé le plafond."

"L'inspiration c'est une femme qui travaille.
Et qui a cinq maisons secondaires."

"Y avait Jason Statham chez Balmain
il fait 1 mètre 50."

"Il voulait se faire virer alors il est venu
en costume saumon au studio pendant un mois."

"Il a un salaire d'un million par mois.
– Brut ou net ?"

"Ils ont habillé les filles trop tôt résultat
elles ont défilé avec des rillettes aux aisselles."

"Tu veux une banane ?
C'est gras mais c'est bon."

"Ah, je vois qu'on a toutes reçu
le même sac sublime…"

"L'inspiration c'est une femme
qui s'habille de façon formelle
pour aller à la plage."

"Mon fils vient de ramener une machine
à coudre à la maison.
– Oh merde…"

"Je pleure tous les nuits jusque 6 heures du mat
mais la journée j'ai la pêche."

"La collection est immonde.
Pas photographiable.
On va encore être condamnées
à faire des pleines pages avec les sacs."

"Son assistant a fait un mail de démission
en trois mots : Mieux ailleurs. Ciao.
– Les assistants sont devenus pires que nous."

"Il a voulu tester le SM,
sauf qu'il a créé sa tenue cuir
avec sa première d'atelier
qui l'a fait en agneau plongé magnifique."

"J'ai un bouton gros comme l'affiche Dior
sur la place Vendôme."

"Je l'adore !
– Mais elle est pas un peu méchante ?
– Oui un peu.
– Un peu ?
– Oui ok elle est horriblement méchante.
Mais je l'adore."

"Il a inventé le T-shirt à 500 euros. C'est un génie."

"On a essayé de refaire l'effet limé de l'étoffe
de la fripe dont on s'inspirait. Impossible.
Alors on a fait direct défiler la fripe."

"Je viens de réaliser
que toutes mes meilleures amies étaient
attachées de presse."

"Oh tu portes la chemise Saint Laurent
à carreaux ? C'est la première fois
que je la vois dans la vraie vie."

"Elle est attachée de presse ou journaliste ?
– Je ne sais pas. Ça revient au même non ?"

"C'est le mec le plus élégant et bien élevé
de Paris mais il pue de la gueule genre infection.
C'est Chacal Brummel."

"La collection était hyper pute.
Je dis pute
mais c'est pas péjoratif dans ma bouche."

"Marchez plus vite les filles !
Marchez comme si vous alliez trop vite !"

"C'est le Helmut Lang autrichien !
– Euh, Helmut Lang était autrichien…"

"Non ! Tu démaquilles et tu lui refais l'œil.
Il faut que ça ait l'air mal fait."

"J'accompagne Kanye West aux toilettes
et je reviens." (crié sur le talkie-walkie)

"En gros, aujourd'hui notre cliente
est une femme de 23 ans du Kazakhstan
dont le mari porte des blousons en cuir."

"L'inspiration c'est une fille des années 90
à la tatane un peu lourde
qui veut être malheureuse."

"Sa hype est vite retombée.
J'espère qu'il a pas largué ses vrais amis entre-temps."

"L'inspiration c'est une Parisienne
qui va en Arizona et qui revient à Paris
détruire la garde-robe de sa mère."

"Là j'en suis au stade du marathon
où la vraie vie ne me manque même plus."

"L'inspiration c'est la lutte
contre la disparition des poissons dans les océans."

"Il fait mille degrés et ça pue le plastique,
je t'appelle après le défilé."

"La tendance c'est tenue de gala matinale.
Le matin c'est le nouveau soir."

"T'as vu y a une agence de mannequins
qui s'appelle Monster.
– T'appelles ta mère pour dire maman
j'ai signé chez Monstre. La fierté."

"L'inspiration c'est salope de l'île de Ré."

"Elles se ruinent pour leurs accessoires.
Elles portent des sacs à 2 000 euros avec rien dedans."

"Je voudrais une assiette d'épinards.
– Désolé la cuisine est fermée.
– Et alors ?"

"L'inspiration c'est Cher à Las Vegas
mais à un enterrement."

"Y a une télé qui me demande l'inspiration
je dis quoi ? Vite !" (à l'assistante qui invente direct
la phrase qui sera répétée à la cam)

"C'était des vraies fringues au moins ?
– Oui. Enfin pour une vraie princesse quoi…"

"Je sais que votre travail c'est de m'empêcher
de passer mais le mien c'est de passer quand même."

"T'as vu ? Le marbre est en plastique."

"Vuitton ? Bernard et Anna étaient debout.
Grace pleurait. Lorenzo a fait une crise de nerfs."

"On a rigolé toute la nuit au Montana
et à la fin j'ai compris qu'il me faisait pas
des blagues mais des confidences super tristes."

"J'ai l'impression qu'on est mortes
et qu'on continue de nous tabasser
avec des bottes en croco turquoise."

"Hier j'étais crevée je me suis fait des pâtes
mais j'ai oublié de mettre les pâtes dans l'eau.
– Bonne idée régime…"

"Je pourrais pas vendre des montres de luxe
et devoir regarder toute la journée
les horribles peaux des poignets des riches."

"Ma devise c'est porte ton argent sur toi
en fringues, rien à la banque."

"Et toi c'était quand la première fois
que tu as rencontré Karl ?"

"Le néoplouc c'est le sac à 6 000 balles."

"T'as du sucre ?
– Il n'y a pas de sucre dans cette maison."

"Quand je pense que ce soir je rends
toutes mes fringues empruntées
et que je me retrouve avec mes merdes."

"Le capitalisme c'est l'addiction."

"J'ai un rencard mais il se passera rien, il est maqué.
– On est à Paris, personne n'est maqué."

"En fait les vieux vont à Marrakech
comme nous on va à Berlin."

"Elle pleure mais c'est normal,
on bosse dans la mode, les filles pleurent…"

"Dans son édito, Anna Wintour raconte qu'au dîner
du Met Jennifer Lawrence a dévoré
l'assiette délaissée par Marion Cotillard."

"C'est un travesti londonien
qui m'apprend l'anglais.
– Fais gaffe tu sauras parler qu'au féminin."

"Je lui ai hurlé dessus dix bonnes minutes
ça m'a détendu."

"On est arrivé en retard pour *La Vie d'Adèle*,
on était au premier rang, écran géant,
on n'avait plus faim en sortant."

"Jil Sander est une femme ?
Je croyais que c'était un homme. Gilles Sander…"

"Elle a un visage Clarins mais un corps Subway."

"On peut pas laisser sortir un produit pareil !
C'est ringard, moche et polluant.
– Tu viens de décrire l'ADN de la marque."

"Le risque avec ce genre de vison
c'est de te faire enlever tellement tu fais riche.
Et que ta famille paie pas la rançon
tellement t'es moche."

"Il y a marqué Recherchons vendeuses
mais à mon avis ils cherchent aussi des avocates
vu le nombre de copies qu'ils vendent."

"Je suis déprimée. On est le 1ᵉʳ décembre
et toujours zéro cadeau de Noël
à la rédaction. Pas un coussin en chinchilla, rien."

"Avant, à partir de mi-novembre
on avait l'accueil embouteillé
de cadeaux de Noël."

"Maintenant, si tu leur as pas donné 12 fois
la couv, les marques offrent plus rien
ou alors un foulard invendu."

"Ma stagiaire est nulle. Prostrée toute la journée.
Elle volerait même pas un T-shirt Lanvin.
Moi je volais tout et on m'a embauchée."

"La nuit du 31 décembre ne sera mémorable
que si tu ne t'en souviens plus demain matin."

Saison 2014

"Elle est radine. Elle se fera enterrer
dans un look emprunté.
– Le service de presse appellera le cimetière
pour récupérer le shopping."

"Le 1er janvier, ce bref moment de l'année
où le caramel et les Pringles goût barbecue
sont l'Antéchrist."

"Elle fait des interviews nulles.
Poser des questions aussi tartes c'est comme
shazamer des vieux morceaux de Madonna."

"Elle se plaint de la vie avec un iPhone
dans une main et un Starbucks dans l'autre."

"Et quand tu sors à Paris tu vas où ?
– À Berlin."

"La lumière de la boutique Fendi est dorée
et change selon la météo,
c'est là où tu fais les meilleurs selfies de Paris."

"La veille du shoot, la boss a fait un mail :
'The tiger is not fashionable enough.'
Il a fallu recaster un tigre dans la nuit."

"J'ai été forcé de signer un papier d'embargo
comme quoi je ne décrirai cette chaussure à personne."

"Non il ne donne pas d'interviews.
Les vêtements parlent pour lui."

"Il a pas du tout la drogue baudelairienne,
il a la drogue coiffeuse…"

"Pour ne pas avoir l'air isolée sur mon iPhone
je prends un air horrifié en textant. Avec ça,
les gens me méprisent moins dans le métro."

"Les riches sont ploucs."

"J'ai mis la réponse automatique 'out of office'
sur mes mails ce matin. Ça va, c'est vendredi,
on n'est pas à six heures près."

"On sait tous qu'il est fou et il nous terrorise.
On attend que quelqu'un de l'extérieur
le filme dans un moment Hitler et nous sauve…"

"Il est Word Editor mais au *Vogue USA*."

"La collection est ultra cul. Le service de presse
a été obligé de sprayer de l'antimorpions
sur les fringues avant les shoots…"

"Tu fais quoi ?
– Du data crunching.
– Et tu data crunches quoi ?
– Du data."

"Il me regarde comme mon père regarde les BMW."

"Elle a décroché son portable
pendant l'essayage avec Karl.
– ? ? ?
– Et elle a parlé.
– Quoi ? ? ? ? ?"

"Elle est bonne consultante :
elle enlève les robes trop belles qui rendraient
les autres robes un peu fades."

"Je suis entré comme Assistant Scotch.
Je scotchais les trucs.
Maintenant avec l'informatique on ne scotche
plus et j'aurais pas fait carrière."

"Elle fait une grosse dépression
mais elle est très marrante."

"Je commence bien l'année à part mes ongles,
c'est la cata mes ongles."

"T'as reçu le mail de la fondation Yves Klein
comme quoi on n'a plus le droit de dire 'bleu
Klein' ? Ils suggèrent bleu outremer à la place."

"Il est génial mais c'est un branlottin.
Génération Y de merde."

"Ma robe est passée à l'essayage. Ils ont dit
que le tombé de mon tissu était "trop lent".
Là je vais pleurer aux WC et je la refais."

"Il m'a maté comme un fou,
je pense que je suis enceinte des yeux."

"C'est un Poppers exceptionnel
que j'ai développé moi-même à Grasse."

"Non mais il fait vraiment du Poppers à Grasse ?"

"Alors ce tissu ce sont des pois noirs
mais sur fond noir.
– C'est noir, donc.
– Oui si tu veux…"

"La prochaine fois qu'elle dit 'mon don,
c'est l'intuition', je l'assomme avec le livre
de Guy Bourdin qu'elle pompe depuis 30 ans."

"On a shooté une série de maillots de bain dorés
en Afrique. Les filles contre un mur d'hommes noirs.
Ça fait une texture merveilleuse en fond."

"Elle est énorme ta tomate !
– Oui, c'est une tomate Mugler."

"Toi tu seras guide de proscenium.
– Tu veux dire que je vais montrer
aux mannequins qu'il faut faire demi-tour
à la fin du podium ?"

"Il s'appelle Pari mais sans S."

"C'est pas de la vulgarité, c'est de l'impact."

"On peut venir filmer le défilé avec un drone ?"

"Ah non l'interview ce sera pas possible
mais est-ce que tu veux filmer l'installation
des coussins mardi à 8 heures du matin ?"

"J'ai fait un selfie avec Donatella
mais j'ose pas le poster."

"C'était tellement ringard que les prix
sur les étiquettes seront indiqués en francs."

"Elle est d'une toxicité incroyable.
Elle ferait une muse géniale."

"Il est économiste." (en parlant d'un PDG)

"J'ai trop mangé !
– Arrête, t'as mangé une demi-pomme…"

"Franchement j'aurais pas été copine
avec ma fille à l'école. Elle s'habille trop mal…"

"Purée notre tapis rouge est vide
on est en égérie emergency."

"Méfie-toi. Plus elles sont gentilles
plus elles sont méchantes."

"Ton chauffeur est adorable. Le mien parle."

"Oui c'est pas mal. Mais quand il se libérera
de son bon goût de merde
ça pourra devenir génial".

"C'était horriblement prétentieux.
– D'habitude ça ne te dérange pas pourtant."

"Il est beau.
C'est un ouvrier de gauche magnifique."

"Tu devrais regarder le docu sur la grotte
de Chauvet, ça relativise.
– Chaumet a une grotte ?"

"Sublime ! Les cardigans c'était un anévrisme !"

"La stagiaire a un prénom trop ethnique
qu'on n'arrive pas à prononcer
donc on l'appelle Lala."

"Il sort à la fin du défilé
mais c'est honorifique, il n'a rien fait…"

"Il faut les choquer. Pas les intimider. Nuance…"

"Le marketing nous a séparés en deux équipes :
l'équipe pour le contenu institutionnel
et celle du contenu émotionnel."

"Je la paie 35 000 euros la journée
elle est gentille d'arriver à l'heure."

"Elle a dit c'est pas moderne et ils ont annulé ma robe.
J'étais dessus depuis décembre."

"Je meurs !" (à propos de chaussures)

"Camille vient !
– Camille ? Camille qui ?
– Kanye."

"La maquette du magazine est devenue géniale.
Les ventes vont s'effondrer."

"Non j'aime pas. C'est pas moderne."

"Il m'a dit bonjour je suis le PDG de Gucci
et quoi que je fasse dans ma vie Gucci
sera toujours plus grand que moi."

"Il est trop radical. Il peut pas s'exprimer
par les mots. Alors il fait des robes."

"Elle a déjà 17 ans dis donc. Cramée…
Elle était belle pourtant…"

"La veille de la collection il arrive
et détruit tout. C'est formidable,
ça remet de l'immédiateté et de l'urgence."

"C'est la pleine lune et la ville
est remplie de mannequins,
comment veux-tu que je dorme ?"

"Ce que j'attends c'est la collection
qui démolira ma garde-robe
et me rendra plouc en 35 passages."

"Pour être aussi gentille, je pense qu'elle mange
des chatons nouveau-nés au petit déjeuner."

"Elle va manger au Flore.
ça lui donne l'impression de lire."

"Le prochain qui emploie le mot moderne
je l'emplafonne."

"Il est au taquet. Avec lui 14-18 aurait duré deux ans."

"Il est dans le top 10 votre parfum ?
– Oui.
– Je ne l'ai jamais senti.
– Oh si, c'est l'odeur des taxis."

"Ok. Tu peux la filmer de face
mais à distance. Profil gauche ok,
profil droit non. Surtout jamais de dos. Ok ?"

"Quand les Américains disent que quelqu'un
est méchant, c'est une marque de respect et d'admiration."

"Allez, menu Kate Moss pour tout le monde !
– Tu veux dire, rien ?"

"Je n'arrive pas à comprendre : quand tu dis
'c'est l'asile', c'est positif ou négatif ?"

"Son travail c'est vérifier si on refile pas
la même robe à deux célébrités.
Tu peux pas imaginer la pression.
Elle perd ses cheveux."

"Non ça fait trop milliardaire premier degré,
c'est pas moderne."

"On est quel jour ?"

"Ok. Je vais devenir désagréable
mais c'est pas personnel,
c'est parce que c'est la guerre.
Ça durera que jusque mercredi. Ok ?"

"Son cerveau porte un pantalon taille basse rose."

"Je dis plus à ma mère pour les castings
parce que ça lui brise le cœur
quand je suis pas prise et là avec mon bouton
sur le front…"

"C'était beau ?
— Oui beau, mais complètement
à côté de la plaque."

"La mode, c'est plus étrange que la fiction."

"Attention, tu as l'étiquette du service de presse
qui pend à ta veste."

"Les assistantes sont tellement jeunes.
À midi elles mangeaient des Bledina
dans la cuisine."

"Ils ont pris 40 pages de pub sur l'année
donc je vois pas comment on peut faire
moins de 12 feuillets. Tant pis, tu tartines…"

"J'attends le créateur qui fera un selfie
en saluant."

"T'as dormi toi ? La chance."

"Arrête de poser comme Tom Ford
avec le sourcil froncé
comme si tu voulais baiser le monde."

"Les filles ! Montrez bien le sac !
Personne n'achète un sac qu'on ne voit pas."

"La saison passée on vient de faire
nos meilleures ventes Couture depuis 22 ans.
Tu re-veux du champagne ?"

"Quand elle bouge pas elle est assez laide.
Mais quand elle marche elle devient incroyable.
– C'est une créature."

"Elle s'appelle Camilla. Mais avec un K
et un seul L. Kamila."

"Ça c'est le badge backstage TV oui
mais vous ne pourrez pas filmer,
il faut une autre pastille."

"Mettez-lui le sac bordeaux,
c'est plus moderne."

"C'était d'une miamerie la collection…"

"Le Swarovski c'est comme le poulet,
y en a jamais trop."

"Fais-lui un smokey eye mais naturel."

"C'est un rouge beige."

"Pendant la Couture, le Meurice
est plein de princesses pas encore renversées."

"C'est absurde mais l'absurdité
est notre fonds de commerce."

"Y a deux ans c'était choquant
mais maintenant on est dans un monde post-Miley."

"Mon chauffeur vient de me faire
une déclaration. Faut que j'arrête de séduire
tout le monde."

"Dans sa bouche, sublime ça veut dire tarte."

"J'en peux plus. Ce soir c'est défilé Versace,
une soupe et au lit."

"M'en parle pas, j'adore l'art !"

"Je sais qu'il y a des gens qui meurent
dans le monde, mais réglons un problème
à la fois et commençons par tes cheveux."

"Elle est américaine mais elle est intelligente."

"La collection était tellement moche
qu'aller lui faire la bise à la fin était un calvaire.
Faut que je me douche."

"Elle a une peau parfaite. Comme quoi
la cruauté ça conserve."

"C'était clivant.
– You mean, moche ?
– Oui."

"Si c'est moi le plus sincère de ses potes
il est dans la merde."

"J'ai dormi trois heures cette nuit. Je revis."

"Je me souviens de son défilé
avec des talons irréguliers. Les filles boitaient.
C'était tellement émouvant."

"Il parle aux enterrements des collaboratrices.
Si je meurs avant la retraite j'aurai le droit
à mon éloge funèbre phallocrate."

"Nos clientes sont tellement préhistoriques
qu'elles dessinent des bisons
sur les murs de la boutique."

"Le rose nude oui. Le rose porcinet non."

"Elle a une bouche du milieu des années 90."

"Il nous a forcés à écouter le même album
de Tina Turner pendant 72 heures d'essayages."

"Ma baby-sitter a appris à ma fille
que Lindsay Lohan était le grand méchant loup."

"Ce qu'on fait après la nuit blanche
aux ateliers c'est qu'on coupe le chauffage
le matin. Ça les réveille."

"Je crinoline."

"La paire de bottes là, elle est à 90 000 euros.
Elles sont Couture."

"L'inspiration, c'est Jeanne d'Arc à Miami."

"Elle s'appelle Anne-Marie mais sans tiret ni E. Annmari."

"Elle s'appelle Ine. Comme Inès mais sans S."

"Next !" (à une mannequin,
avant qu'elle ne finisse les dix pas de démo du casting)

"La chirurgie esthétique j'en ai jamais fait.
Jamais. Sauf le nez."

"C'était sport Couture, le jogging à 150 000."

"À ce qu'il paraît il s'est mis à faire des selfies."

"J'ai les aisselles qui sentent bizarre.
Je pense que je transpire le champagne."

"Franchement, j'ai jamais reçu
un si beau cadeau ! Sachant qu'une fois
j'ai eu un hamac Hermès…"

"Tu peux me passer un chewing-gum ?
J'ai une haleine automne-hiver 1992."

"T'as vu les bottes de Mouna Ayoub ?
C'est deux yachts."

"Je sais plus quand c'était,
je confonds dimanche soir et ce matin."

"C'est un rouge invisible."

"Non j'ai dû vendre l'appartement de Hoche,
je captais pas."

"Autant l'année dernière c'était l'année
de l'œil, autant cette année
c'est l'année de la lèvre."

"Oui ! Nike Haute Couture !"

"Ils veulent faire une télé-réalité sur moi,
mais pas vulgaire tu comprends."

"Il connaît toutes les références
de toutes les lignes, c'est un showroom humain."

"Attends je vais boire un verre d'eau.
– Tu as raison ! Des vitamines…"

"Je l'ai rencontré il y a trois biennales."

"On a des commandes spéciales joaillerie.
Des Russes qui veulent des motifs têtes de mort
avec du sang en rubis qui sort de la bouche."

"Mon chauffeur a des traces de tondeuse
dans la nuque."

"Son mari a fait fortune dans le frisbee."

"Elle se croit dans un Sautet
mais elle est dans un Chabrol."

"Le clochard en bas de chez moi a un iPhone."

"C'est une ponte du parfum.
Elle a tout un réseau nez."

"La multiprise rose fluo vous l'enlevez
de la table de maquillage. Faut tout vous dire.
Vous êtes vraiment nuls."

"C'est lui au fond. Derrière le type
avec le costume Dior du printemps 2011.
Ou hiver 2012 ? Je sais plus…"

"T'as prévu une musique assez longue
si la standing ovation dure dix minutes ?
On sait jamais."

"Aucun souci. Je vais prendre cinq espressos
et ça ira."

"Je lisais son mail et je comprenais pas
pourquoi elle me parlait de socialistes russes.
J'avais mal lu. Socialites russes."

"J'étais assise entre un académicien de droite
et une blogueuse."

"Ça va ? T'as pas le cerveau trop partitionné ?"

"Ils nous ont convoqués pour exiger moins
d'artistique dans notre direction artistique.
Au moins c'était clair."

"À partir de maintenant interdiction générale
d'aller aux toilettes, tout le monde
sur le pont."

"Les mannequins ont l'air grosses dedans.
Donc t'imagines des vrais gens…"

"Elle a acheté la guillotine Chanel de Tom Sachs.
Elle l'a installée dans son entrée à Venise.
Ça fait Fondation c'est clair."

"Plus personne ne nous lit,
à part les annonceurs qui ne parcourent
qu'avec un double décimètre
pour quantifier le retour sur pub."

"L'inspiration c'était Sagan Supersonique
dans l'espace."

"Sa première collection c'était des sacs-poubelle. Génial."

"On vend pas des fringues on vend du frisson."

"J'en veux pas des branchés. Ils t'achètent
deux T-shirts et ils se cassent
en deux secondes après avoir saccagé ton image."

"Aujourd'hui il est adorable.
On est tous terrifiés."

"C'est un gourou des cheveux."

"Mon stagiaire est né l'année dernière.
Genre il sait pas qui est Carla Bruni.
C'est rafraîchissant et on gagne du temps au final."

"Oh merde, des escaliers…"
(avec des talons de 18)

"À New York le 11 septembre 2001 il y avait
de la poussière partout, alors elle est sortie
de chez elle en saharienne Saint Laurent."

"Elle communique vachement bien le stress.
Elle ferait une très bonne attachée de presse du stress."

"En même temps je comprends.
Qui serait normale à sa place ?"

"Il vend de la jeunesse. Tous mes copains dermatos
achètent ses fringues."

"Ses selfies à la maternité étaient terribles.
Mais ça va mieux elle a commencé à perdre."

"Tu viens à CK ?
– Y a une fête Calvin Klein ?
– Non, Caviar Kaspia, patate."

"Merci mais je ne porte pas de prototypes."
(écrit sur un sac contenant un manteau
de fourrure offert par un créateur)

"Je suis au bout du fashion rouleau."

"Fini le jet-ski à Saint-Barth ! Ma fille s'est mise
à calculer l'empreinte carbone de la famille.
C'est une nazie verte."

"On peut pas écrire que c'est importable.
Alors on dit 'jeux de volumes'.
Les lectrices comprennent."

"Je crois que tu te rends pas compte
de l'ampleur de ce que je vis."

"Comment je lui dis que c'était pas terrible ?
– Tu lui dis que c'était vraiment beau, il comprendra."

"Non. Pas de retransmission en streaming
du défilé. La Couture c'est pas streamable, darling."

"Je suis rentrée sans prévenir et mon mec
mangeait des chips."

"Quand Staline est mort son assistant flippé
a mis 5 jours à entrer dans la chambre.
Pour elle, on attendra qu'elle soit décomposée."

"Jamais trop de champagne quand c'est gratuit."

"Oui visuellement c'est frappant
mais dans la vraie vie cette femme pue le parfum."

"Je sais, quand on dit Samuel Beckett
maintenant les gens pensent d'abord à Gucci,
mais c'était un grand dramaturge, aussi."

"Is this Le Bon Marché ?"
(devant le musée d'Orsay)

"Elle a fait combien de rénovations à son visage ?
– Autant que de couches de peinture sur la tour Eiffel."

"L'inspiration c'était ravers
pendant la Renaissance."

"Cette bougie parfumée sent la gaine
de vieille dame suisse."

"Ils ont fait un cocktail à l'Aquarium de Paris
où ils servaient des sushis.
C'était un peu redondant."

"Il tourne tout en flatterie. Une fois il m'a dit
que mes échecs étaient inspirants."

"Fashion people ! We love them all…
– Ish !"

"C'est la règle d'or du directeur artistique
Alex Liberman : quand une photo est laide,
imprimez-la en énorme. En grand tout rend mieux."

"N'avoue jamais que tu l'as trompé
ni que c'est du Zara."

"Tu rallonges, tu couvres le décolleté,
tu rajoutes des manches, une broderie dorée
et hop, carton chez les Princesses Pétrole."

"C'était parfait. Mais c'était rien."

"On a fait une loge spéciale pour le créateur
en coulisses. On dirait la maison d'*Evil Dead*."

"Le défilé allait commencer, ma redchef hurle
'donne-moi un tweet, vite'. Je lui ai filé
une vanne qui a eu que 3 RT elle va me virer."

"J'adore ton sac. J'ai le même en mauve,
en vert, en bleu, en vernis noir et en bicolore
rouge et vert."

"J'ai pris un taxi, on est passés
sous le pont Neuf, je me suis souvenu
de pourquoi j'ai voulu habiter ici."

"J'ai tellement la gueule de bois
je pourrais sculpter deux rames."

"Les défilés finis, tu crois que là
Anna mange des pâtes carbo
dans un jogging gris ?"

"C'est un tableau de Ferdinand Léger."

"Je faisais une séance avec Béatrice Dalle
et Helmut Newton au Raphaël. J'arrive et Helmut
me dit…" (l'anecdote qui commence bien)

"J'étais chez ces gens où tout brillait.
Leurs cheveux, leurs vêtements, leur piscine.
Tout brillait sauf leurs yeux."

"Après 22 heures il s'assoit devant son Banksy
et il fume sans rien dire."

"Je ne sais pas ce qu'est la vraie vie :
je n'ai jamais rien acheté, jamais travaillé,
jamais rien payé."

"Je déteste les mondanités. Cela dit,
je le fais très bien. Avec ma bouteille
de vin blanc je parle à une chaise vide."

"Soyons réalistes : en gros, je ne fous rien."

"Les Américaines sont anticharme,
en plastique, elles adorent la famille,
les enfants. C'est antifatal."

"La vérité vraie, c'est que je suis
sur une autre planète."

"T'étais pas dans la fashion bétaillère
du Paris-Milan de 9 h 35 ce matin ?"

"Ses parents l'ont appelée Binx parce que bébé
elle ressemblait à Jar Jar Binks
dans *La Guerre des étoiles*."

"C'est pas juste une coiffeuse.
C'est la Meryl Streep des cheveux.
Elle m'a réinventé cent fois."

"Je suis en train de détartrer mon assistante."

"Je suis curateur digital."

"Bravo tu as vachement maigri !
– Oui, j'ai été malade…
– Félicitations !"

"Elle s'appelle Liisa. Avec deux i."

"On a repeint toutes nos 200 boutiques
en blanc la même nuit pour qu'on ne voie plus
que le produit. Les ventes ont explosé."

"More is more is more is more."

"Elle ressemble à Jane Mansfield mais décapitée."

"Ma mère avait zéro réseau. Elle allait aux enterrements
de la haute, c'était le seul endroit où elle pouvait
entrer sans invitation."

"Mon chauffeur est pakistanien."

"J'ai abusé sur le blanchiment, j'ai les dents
luminescentes. Quand j'ouvre la bouche
dans mon sommeil, ça réveille mon mec."

"C'est du glamour subversif quoi."
(à propos de Prada)

"Elle est tellement 1.0. Je parie
qu'elle ne recharge son portable
que tous les deux jours."

"Elle peut traverser la place de la Concorde
en taxi sans lever les yeux de son téléphone."

"Je peux pas t'inviter, on est en espace réduit,
le défilé a lieu dans un utérus de 200 personnes."

"Je suis rouillée comme une robe
Paco Rabanne de 1968."

"Faut qu'on se parle vite.
– Ok je me mets une alerte."

"La musique… On dirait qu'on est
dans une backroom à Cracovie."

"La perfection c'est la fin de tout."

"Tu t'habilles n'importe comment,
c'est pas édité du tout."

"Elle tourne en boucle, elle est monoragot."

"Désolé je t'ai mis au second rang
mais j'ai tellement de célébrités
que mon premier rang se retrouve au second rang."

"Mon chauffeur est indemne de toute culture."

"J'ai trouvé un stage à mon fils à Milan.
Il est revenu autobronzé et les sourcils épilés.
Merci l'Italie."

"Tu dis pas prévisible tu dis parfait."

"C'est une robe Nutella : régressive,
mauvaise pour ta silhouette,
mais personne peut résister."

"Ça va commencer ! Tu bouches les trous
du premier rang avec des standings
qui ont des jolis visages."

"On dirait une panthère sous vide."
(à propos de leur boss deux rangs devant elles)

"Non on peut pas filmer la sortie du jet.
C'est quelqu'un de démocratique
et il faut garder cette image."

"J'ai l'impression de parler dans le néant
toute la journée tout le temps
et que le seul truc concret c'est mon sac Céline."

"Je viens de l'art contemporain donc là
tu comprends c'est comme une récréation.
Vous êtes touchants."

"Quatre heures par nuit depuis dix jours
mais ma calligraphe m'a donné
du Quinton hypertonique, ça me fait tenir."

"Les oranges c'est très Jacquemus.
Les chouquettes c'est pas Jacquemus."

"Elle a ouvert le défilé Calvin."
(avec un air affolé)

"À poil il doit être sexy
mais qu'est-ce qu'il s'habille mal.
Faut vraiment imaginer l'oignon épluché…"

"C'était… commercial."

"Son meilleur ami m'a tout raconté,
à quel point c'est un sale type en fait."

"Vous souhaitez voir la carte des desserts ?"
(elles partent d'un grand éclat de rire sincère)

"Elle a quatre assistantes. Mais en gros,
le monde entier est son assistante."

"Je la félicite pour son magazine et elle me dit
qu'elle a été virée. Pourquoi je suis pas
au courant et pourquoi on l'invite encore ?"

"Elle a le corps d'un guéridon Louis XV.
– Mais le langage d'une étagère Ikea."

"Elle vieillit avec élégance. Celinité et sénilité."

"Elle est tellement intelligente c'est ridicule."

"C'est une sculpture de Daniel Craig."
(en montrant la sculpture de Tony Cragg
dans l'entrée de la boutique Fendi
avenue Montaigne)

"Il pousse le tissu dans ses retranchements."

"Tu ne dis pas matière rigide tu dis armure.
Tu dis pas bâclé tu dis sauvage.
Tu dis pas tape-à-l'œil tu dis sensuel."

"Il serait hétéro."

"C'était pas mal mais j'ai pas senti l'urgence
au fond des reins non plus."

"Elle bosse chez Hermès." (silence rêveur)

"T'as couché avec ?
– Non, on a juste été au ciné ensemble voir
La Vie d'Adèle.
– C'est un peu comme si vous aviez couché, non ?"

"C'est une souverainiste Saint Laurent.
Elle est bloquée à la collection des Ballets russes.
Tout le reste n'est que Crocs pour elle."

"Ça sent le brûlé, non ?
– Oui c'est mon cul."

"Ne laisse pas ta veste traîner comme ça…
– Elle est de la saison dernière
personne ne va la voler."

"Le brief pour les mannequins c'était 'chic
mais optimiste quand même'."

"Je suis allé chez elle. Elle te fait boire
dans des verres qui étaient des bougies
parfumées Colette. L'eau a goût figue."

"Je suis plus créative que ce que tu vois
dans le magazine. On m'exploite à 8 %.
– Et c'est génial.
– Donc t'imagines si je bossais."

"On a fait une étude : les clientes le détestent
mais ça remet la marque sur un piédestal
de snobisme positif pour notre axe sélectif."

"Il est intransigeant sur tout. Même ses slips
sont sans compromis."

"Elle j'adore tout."

"Si seulement on pouvait effacer
ses cinq dernières collections de notre mémoire collective."

"Ta coiffure est quand même
un peu trop improvisationnelle."

"Elle n'est pas isocèle."

"Moi je rêvais de fumer de l'opium
avec Betty Catroux mais ma fille veut
que je lui ramène un selfie avec Cara…"

"Je l'ai rencontré au dîner Etam
à la brasserie Lipp."

"C'est un imprimé nid-de-poule."

"C'est mon plus vieil ami.
On se connaît depuis trois ans."

"C'était quand hier ?"

"Il peut pas s'empêcher de toujours tout refaire.
Alors on lui paie des vacances
pour qu'il ne soit là que 15 jours avant le défilé."

"Ta robe est à l'envers ?
– Non c'est Rodarte."

"Il a vraiment renouvelé la valeur fun
dans le luxe."

"Elle se fait des smoothies de placenta
je pense. Ça lui va bien tu me diras."

"Tu comprends pas, je suis en rupture
avec les objets." (pour expliquer son sac
Valentino neuf mais déjà massacré)

"Ça fait dix ans qu'elle boit la tasse
au Salon de Thé de la dernière chance."

"Si tu décris la collection telle quelle
tu perds la pub pour dix ans…
– Moi je ne décris plus que leurs célébrités
au premier rang."

"Oh regarde c'est Beyoncé !"
(devant Rihanna à la sortie de Balmain)

"C'est la nef des folles."

"Je suis administrateur e-influence."

"C'était sublime. J'ai fait un AVC de beauté."

"Structure pas tes mails et laisse les fautes
sinon on croit que tu n'as que ça à faire.
Si c'est foutraque c'est que t'es débordé."

"Jamais trop."

"On est obligé de lui offrir des fleurs.
Ça m'arrache la gueule.
– Prends-lui des fleurs qui puent."

"Je suis contente,
ma fille s'est dékardashianisée."

"J'habite le Haut Marais.
– Tu veux dire République ?
– Si tu veux, oui."

"Tu t'imagines avoir autant de pouvoir ?"
(en parlant d'une blogueuse chinoise)

"Moi, je suis naturellement sous ecsta."

"Ah non merci, je ne lis pas."
(à la fille qui distribue des magazines
devant l'entrée)

"L'inspiration ? Y en a pas. L'inspiration
c'est le calendrier de fou et une date butoir."

"On a fini la minirobe en cuir verni.
On pensait à la fille atroce qui allait acheter ça
et si on allait alimenter le monstre."

"Ils ont annoncé des ventes à plus 50 %.
– Pas dur, ils vendaient deux sacs par saison.
Ils ont dû en vendre trois et paf."

"Suis crevé. Tu me poses à côté d'un Picasso
et tu ne distingueras Dora Maar de moi
que parce qu'elle a un cadre en or."

"Je suis morte…
– Oui ça se voit."

"Il est tellement sûr de lui,
que dans son business plan il a prévu
les rentrées d'argent des procès
qu'il gagnera contre les copieurs."

"Le réveil est dur. Mais à partir de 17 heures
ça va mieux."

"C'est l'enfer. Tu vois l'enfer ?
Eh bien c'est l'enfer."

"Y a combien de cercles à l'enfer ?
On vient juste de dépasser le neuvième cercle
de l'enfer donc je demande
combien il en reste."

"C'était le jugement dernier.
Je me cachais dans une boutique Vuitton
et les murs se mettaient à crier
'Elle est ici venez la prendre !'."

"Il organise la soirée Kate Moss de demain
mais ça va être trop petit alors cette nuit
il a fait péter les murs porteurs."

"Ma fille a 15 ans. Quand je la quitte
j'ai peur que les flics la fassent exploser
tellement elle ressemble à un colis abandonné."

"Elle est en Céline. Mais d'avant Phoebe Philo."

"Il était plus joli quand il avait un cou."

"C'est une ligne intemporelle mais d'aujourd'hui."

"Ralentis, tu vas écraser 40 blogueurs."
(à la sortie du défilé Dior)

"J'ai écouté les infos à la radio dans la berline
entre deux défilés, c'est l'horreur dehors."

"Elle a dû déménager.
– Pourquoi ? Sa tête passait plus la porte ?"

"Elle s'ennuie très vite. Ne lui parle jamais plus
de trente secondes."

"On a touché le fond il y a 20 ans.
Là on récure les crevasses."

"Elle est inspirante. Tu la regardes
et tu as cent idées."

"Elle m'a bombardé de sextos. C'est quoi
la lettre de PD qu'elle comprend pas ?"

"On est vendredi. J'ai l'impression que lundi
c'est dans un mois."

"Félicitations, j'ai mis dix minutes à feuilleter
ton magazine avant de tomber
sur le premier article tellement tu as de la pub."

"Elle habite extra-muros."
(l'index en flingue sur la tempe)

"J'ai cru que c'était la fin du monde
tellement les nuages étaient noirs.
Mais c'était les vitres teintées de la voiture."

"Le podium était hyper long.
Les pauvres mannequins. J'avais des ampoules
aux yeux à les regarder."

"Il est tellement corrompu… Et c'est moi
qui dis ça donc tu imagines…"

"On dit plus chirurgien on dit épidermilogue.
Ou docteur combleur."

"J'habite 35 mètres carrés alors que
mon collier vaut 100 mètres carrés."

"Ta caméra de télé qui me demande
ce que j'ai pensé d'un horrible défilé annonceur…
J'avais le point rouge du laser sur le front."

"J'étais premier rang chez Dior aujourd'hui.
J'ai mis quinze ans à l'avoir. J'étais ému."

"On a dû refaire toutes nos boutiques en Chine.
– Redécorer ?
– Non. Déplacer. On s'était trompé de quartiers."

"La violence de quitter l'odeur de pain
au chocolat de mon mec encore au lit
pour le musc pamplemousse industriel
de mon chauffeur…"

"Je suis venu en métro.
À Étoile il y a un mec qui joue
Heal The World de Michael Jackson au saxo."

"L'inspiration c'est une milliardaire orientale
mais pas clinquante."

"Je m'en fiche de la beauté, je veux du vrai."

"Elle ne porte que des choses pas encore en boutique."

"Elle est perpétuellement vénère.
Elle a un CDI drama."

"C'est beau de face mais de dos c'est hideux."

"La pauvre, elle ressemble à un patchwork
de poubelles et ça lui a coûté une fortune."

"On cartonne. Je viens de commander 19 000 zips."

"Il passe tellement de temps en rehab,
je vois pas quand il a le temps de se droguer."

"Non mais sa peau est orange.
Elle s'en rend pas compte ?
Son miroir n'a pas de couleurs ?"

"C'était atroce. Si mon assistante me dit
qu'elle a adoré je la vire."

"Oh merde ils nous ont assis
dans le bloc des hyènes.
– Tu le vois où le bloc des colombes ?"

"Allez on file au défilé suivant
qui va nous démontrer l'inverse."

"Ne mange pas, après tu dois digérer et c'est crevant."

"C'est le concours de l'improbablerie de la chaussure."

"J'hésite entre lui coller mon avocat ou mon psy."

"T'es bien réveillée ?
– Il aurait fallu que je dorme."

"Il était candidat dans 'La Belle et ses princes'
saison 1 mais pas dans l'équipe des beaux."

"C'est le Coca Zéro de la création."

"It's rilly modeurne."

"C'est une guerre intestinale."

"Avant on faisait des voyages d'inspiration
en Mongolie et on pillait les fripes.
Maintenant on est coincés sur Tumblr."

"Le chiffre d'affaires a été multiplié par dix
et le budget fleurs divisé par dix."

"Je suis tellement bourrée
je pourrais tweeter la vérité."

"Si leurs vendeurs sont payés à la commission
ils vont manger du riz cet hiver."

"Il a fait fortune en vendant des horreurs
à des gens friqués persuadés d'acheter
du beau. C'est le Madoff de la doudoune."

"Ok vous pouvez faire l'interview
mais une seule question."

"C'est quand la soirée Kate Moss déjà ?
– Hier soir."

"Elle m'a assise en Sibérie."

"Tu enlèves les extensions de la mannequin ?
(en regardant les cheveux au sol)
– Non, elle perd ses cheveux."

"L'inspiration c'est la folie de l'humanité,
notre peur commune,
le sentiment d'aller au-delà du bon sens."

"J'ai sommeil des pieds."

"C'était puissant, classique, bien tombé, malin.
Ça m'a foutu le cafard."

"Oh là là j'ai envie de lire un livre."

"C'est un proto Givenchy d'il y a trois saisons,
c'est limite muséal, j'ai l'impression
d'être une expo d'Olivier Saillard."

"Le fond de teint tu fais hyper pâle et les lèvres
tu les enlèves."

"Dès qu'elle te dit un truc,
elle envoie un mail de récap pour se protéger :
'Je vais à la boulangerie.'
Avec 15 personnes en Cc."

"Elle pourra jamais être redchef.
Elle est incontrôlable. Une fois elle a porté
un sac Chanel au défilé Dior."

"Ah non pas d'interview
mais vous pouvez aller le féliciter."

"Je me souviens exactement
de ce que je faisais quand on m'a appris
que Marc Jacobs partait de Vuitton."

"Elle est cultivée, un peu décharnée et froide ;
cette fille c'est le palais de Tokyo."

"Il a écrit Cartier 'Quartier' dans un mail.
Il dit que c'est le correcteur d'orthographe,
mais je répands la rumeur quand même."

"L'écouter parler c'est comme essayer
de lire un scénario dont on a enlevé des pages au hasard."

"Je suis rentrée de Dries Van Noten
et je voulais tout refaire chez moi.
Mais comme dit mon mec :
no decision pendant la fashion."

"Il l'a rencontré sur Grindr
mais c'est cœur quand même."

"Elle était à Los Angeles
donc on a fait les essayages par vidéoconférence.
C'était plus simple."

"Je suis allé au Louvre hier avant Chloé.
Le mur jaune derrière *La Joconde*
quelqu'un peut m'expliquer ?
Ce pays a besoin d'une DA."

"Bienvenue dans l'asile psychiatrique à ciel ouvert
le mieux habillé du monde."

"Souris mais avec les yeux.
Avec les dents c'est quiche."

"Il n'a pas pu aller au défilé Stella McCartney.
Il est en position fœtale dans son lit
au Meurice tellement il n'en peut plus."

"Elle est chef maroquinerie. Cet hiver elle a eu
un congé maladie d'un mois. Je pense
que c'est mille crocodiles qui ont été épargnés."

"J'étais assise en face de Rihanna
du coup j'ai rien vu du défilé."

"Ça fait un mois qu'elle fait tous les défilés
depuis New York en ne mangeant
que des sucrines. Respect."

"Ah c'est tout ?" (à la fin d'un défilé éclair
attendu pendant une heure)

"J'ai un cancan blockbuster, ça te dit ?"

"Elle a le charme désinhibé des gens vulgaires."

"On est en train de bosser les social teasers
de l'événement."

"Alors ? On se repose ?"
(à trois heures du matin, à une stagiaire
qui faisait une pause Instagram)

"Je suis au Grand Palais dans le décor
Chanel de demain, j'arrive plus à parler
tellement c'est dingue je te rappelle."

"Je préférais sans bouche.
– J'aime pas les bouches trop bouches.
– Surtout qu'elle a beaucoup d'yeux.
– On hydrate et c'est tout."

"Il y a un mouvement hipsterophobe lancé
par des bobos. Tu parles d'une baston."

"C'est qui ?" (en montrant Kate Moss du doigt)

"Je voulais me faire tatouer mais avec la cohue
des défilés ça s'infecterait."

"T'as pas rencontré les bons hétéros c'est tout."

"Vous voulez boire ?
– Un Coca zéro s'il vous plaît.
– Et vous ?
– Vous n'avez pas du Coca Mille ?"

"J'étais à côté de Rihanna chez Dior,
sa fourrure était imprégnée de l'odeur de weed.
J'étais high à la fin du défilé."

"On va recontextualiser le flagship."

"J'ai rêvé qu'on plaçait Anna Wintour
en standing.
– Ne dis pas ce genre de trucs tout haut
tu vas finir internée."

"Elle s'appelle Cécilia. Mais ça se prononce Tchitchilia."

"À Courchevel, il n'y a plus de crêperie,
que des magasins Vuitton. J'ai mangé
de la fondue à côté d'une femme
en robe Chanel monoshoulder."

"C'est la course au cuir. J'ai vu le type
d'un grand groupe de luxe acheter
dix mille veaux de l'Aveyron devant moi."

"Elle confond excentricité et manque d'hygiène."

"Il te touche la tête et c'est un voyage dans ton corps."

"C'est un pantalon à 700 euros.
Il répond à une demande des clientes
pour des pantalons plus exclusifs."

"Tu vois la languette 'ouverture facile'
sur les paquets de Lustucru ?
Elle a les mêmes sur ses jeans."

"Son CV est fou mais ils veulent tous bosser
dans le luxe. Il aurait pu diriger le Louvre
mais il préfère diriger une boutique."

"Oh là là j'ai la chair de poule."
(devant des Doc Martens recouvertes de gros strass)

"J'ai plus rien à me mettre.
Je vais finir dans une cave… Seule."

"Elle a des seins c'est le problème."

"Même le mot décalé est décalé pour décrire
ce qu'on vit."

"C'est un matin neuf. Un matin important."

"J'ai l'excitomètre à sept milliards."

"On vit dans le froid et la foule,
comme dans l'ascenseur de la tour Eiffel.
On se plaint mais on est au cœur
de la tour Eiffel."

"J'ai des goûts inversés : quand je suis
sur un shooting de visuel parfum
et que je trouve ça hideux,
le parfum est un succès."

"Il est devenu millionnaire avec son business
de charity en Asie."

"C'est fonctionnel. C'est du prêt-à-porter
prêt à partir."

"J'ai produit un film.
C'est Marina Abramović, nue. En 3D.
– Les spectateurs n'ont pas peur comme
pour l'arrivée du train à La Ciotat ?"

"On peut faire l'interview ?
– Oui je vous ai mis un créneau
de quatre minutes dans deux heures."

"Il y avait trop de monde au premier rang.
Elle était écrasée. Anna s'est mise d'elle-même
au second rang. C'était Pompéi."

"J'ai dormi quatre heures en un mois."

"C'est tellement Groseille les salons VIP."

"Tu fais ce que tu veux.
C'est juste que Jackie Kennedy aurait pas fait ça."

"Bon Chanel l'a déjà fait mais si on s'interdit
de faire ce que Chanel a déjà fait
on fait plus rien, non ?
– Plus rien ! Rien !"

"Elle s'habille n'importe comment
mais comme elle a l'autorité du chef ça passe."

"C'est jeune créateur au point que
c'est comme t'habiller en feta artisanale."

"Tu crois qu'elle est odieuse ?
Attends demain quand ce sera fini
et qu'elle contemplera le vide devant elle.
Je préfère pas être là."

"C'était un beau très premier degré.
Un beau qui peut devenir laid de beauté."

"Non mais même Barbès ça s'est vachement
embourgeoisé."

"Je les ai vus s'embrasser
dans les coulisses Chanel,
ils nous ont écrabouillés avec leur amour."

"Il a du pouvoir donc il est paumé."

"C'est qui la fille noire ?
– Celle qui vient de gagner l'Oscar.
– Sublime."

"Je vais à la fête Vuitton, tu veux que je gratte
des infos quand les gens sont bourrés ?"

"C'est une typo qui a été culte
pendant deux trois jours."

"J'ai l'air d'une morte-vivante.
– Ce qui veut dire que tu n'as pas l'air
d'une bourge donc ça va."

"J'ai été en forme les dix minutes après ma douche."

"Gérard Bovary c'est moi."

"Faut qu'elle arrête de me soûler
avec ses problèmes caviar."

"On cherche une rédactrice beauté
qui ne soit pas belle pour donner du poids
au contenu beauté."

"Alors tu as fait un nouveau tatouage ?
– Oui. Des montagnes. Simple."

"J'essaie plutôt de faire des vêtements
hors du temps mais en même temps
très pour ce temps-là."

"Ce qu'on cherche à développer
c'est du vrai contenu puissant de sept secondes
pour notre Instagram."

"Il est tellement mauvais photographe…
Sur ses photos de Florence, le *David*
de Michel-Ange avait l'air d'un boudin."

"Il me fait penser à Grenouille
dans *Le Parfum* mais sans l'odorat."

"On a fait un pli au genou du pantalon,
ce qui permet de se reposer en position fœtale."

"Elle était en Abercrombie.
J'étais en Dries Van Noten. Et elle vient
me donner des leçons quoi."

"Je demande pas grand-chose.
Si je peux pleurer à la fin d'un épisode je suis contente."

"C'est quand même étrange ces jeans délavés
qui donnent l'impression
que tu viens d'uriner de l'eau de Javel."

"Je t'ai fait d'énormes pizzas sans gluten."

"Je ne vais pas faire les trucs culturels
pendant mon week-end à Las Vegas.
– Culturels ?
– Le Grand Canyon.
– Oh c'est nul le Grand Canyon."

"Il y a 3 mois elle était la styliste
qui donnait des ordres au monde
et maintenant elle parle toute seule sur le quai
du métro à Glacière."

"C'est horrible de voyager…
Rio la semaine prochaine, j'en peux plus."

"À part les deux jumeaux russes
et le provincial j'ai galoché personne,
le désert. Je me sens moche."

"C'est comme s'il avait pris des stéroïdes
mais que ça avait fait l'effet inverse."

"Elle marche le dos très en arrière
comme Karen Elson à l'époque.
On dirait qu'elle marche assise en fait."

"Si tu regardes ça au niveau de l'histoire
du vêtement, le slim il n'arrête pas de se slimiser."

"Il fait des photos pour le fanzine *Crush*.
– Mannequin ou photographe ?
– Les deux. Il leur fait des selfies."

"New York tout est tellement haut.
Quand tu rentres à Paris tout paraît plat,
t'as l'impression de vivre dans une crêpe."

"J'étais à ce dîner dingue hier soir.
On n'avait pas le droit d'instagrammer
ni de tweeter. Je peux rien te raconter
mais c'était dingue."

"Elle s'est construit une villa à côté de Monaco.
Sur les plans c'était magnifique, mais en vrai
on dirait une chanson de Jacques Brel."

"Je viens de manger un œuf à 39 euros
chez Prunier, faut que je te débriefe."

"J'ai un cocktail annonceur ce soir,
ça va encore être le festival blowjob."

"Ah non mais le voyage à Venise…
J'ai passé le séjour à touiller du Smecta."

"Ça s'est passé où ?
– Aucune idée. C'était il y a six mois
et j'efface mon disque dur mental chaque saison
sinon folie tu comprends."

"Il a faim. Genre on va tous finir
dans son ventre."

"Elle est en train de tuer le journal avec ses frais
de représentation. Note de frais Prada
par note de frais Prada, elle nous tue."

"Ma fille a pris émoticône première langue."

"Woof ! T'es sexy !
– T'es gentil de dire ça, je ressemble
à une omelette avec des cheveux."

"Faut la sauver d'elle-même.
Je parle de reboot général."

"Tu lui donnes le choix entre deux photos,
une belle et une moche, tu peux être sûre
qu'elle colle la moche en couv."

"Et toi tu fais quoi ?
– Je suis dans le business de l'inspiration."

"Je devais mettre mes loisirs
à la fin de mon CV mais on peut pas écrire
'Dépression, American Apparel et La Perle'
alors j'ai mis Tennis."

"Disons que tu as plus de chance de mourir
dans un accident de télésiège avec Shakira
que de gagner à l'Euromillion. Mais vas-y, joue."

"Ma mère regardait la photo d'un chiot sur mon téléphone.
Elle a fait glisser sur la photo suivante.
Elle pourra plus m'appeler ma puce."

"Elle est persuadée de ressembler
à Charlize Theron mais elle ressemble
plutôt au flacon de J'adore."

"Ma fille est en train de mater *La Petite Sirène*
en mute avec Miley Cyrus en fond sonore.
Elle nous prépare une belle bipolarité."

"C'est dimanche 23 heures mais on peut dire qu'on saute
lundi et qu'on est vendredi 17 heures et qu'il fait beau
et que JFK junior n'est pas mort ?"

"Il poste tellement de selfies sur son Instagram
qu'en déroulant vite sa timeline ça s'anime
et tu vois le duckface qui bouge."

"Le mec de mon voisin s'appelle
OhMartinOhMartinOhMartin
et il essaie de réparer le lit bruyamment."

78

"Ma mère est tellement timide.
En digital elle aurait été nulle.
Elle aurait poké mon père pendant deux ans.
Je ne serais pas né."

"C'est une PACA girl avec un twist féministe."

"9 % de mon cerveau est occupé
par l'angoisse batterie téléphone.
Où en suis-je ? Faut-il baisser la luminosité
de l'écran ? Quand le rebrancher ?"

"Mon correcteur automatique écrit orgy
au lieu de Orly. Je viens de convoquer
toute l'équipe de tournage à une partouze."

"Pour l'habillage de l'émission on a le budget
du générique de *Lost*."

"C'est combien de temps la période d'essai
des stagiaires ?
– Trois minutes."

"Elle a une silhouette très soldes de presse
mais elle est assez chic oui."

"Sa mère c'était la Parisienne
qui a vachement de style mais pas d'âme.
Elle n'a hérité de rien
sauf du 120 mètres carrés avenue Junot."

"Elle a cette voix aiguë des nounous hypocrites."

"Dans ma boîte si t'as l'air reposé t'es suspect."

"Là elle a son corps de novembre
mais dès qu'elle arrête les 130 cookies
par jour elle revient à son corps de juillet
en une semaine."

"C'est un espace atypique rue de Clignancourt
mais avec une vue intemporelle."

"Elle a rayé son Birkin beige le premier jour. Verdun."

"Mon père est tellement chatte.
Il vient de se prendre un iPhone blanc."

"Elle a plus de sacs que de livres. Et d'amis."

"Je suis storyteller dans la cosmétique.
La beauté, tout ça."

"Pour son CV, en termes d'études
disons qu'il a un Google +4."

"L'avantage pour les migrants récents
c'est qu'ils pensent que cette météo est normale."

"Il écrit d'un copié/collé alerte et vif."

"Depuis le divorce, mon père a lâché
la rampe. Lundi matin il est rentré
avec un énorme suçon
en forme de Porsche Cayenne."

"On l'a retrouvé mort sur son lit.
La main dans un paquet de chips."

"Elle a le charme de la voix électronique
des annonces de quai de la SNCF."

"Comment tu traduis spirituality ?"

"Il est viril. Il sait imiter le bruit d'une Peugeot."

"On a vu des Donald Judd qui te réconcilient
avec Donald Judd."

"C'est une collection capsule dont 10 %
des profits vont à une association.
Tu te fais du bien et tu fais du bien."

"Il disait 'abdomen'. Je peux pas sortir
avec quelqu'un qui dit 'abdomen'".

"Ce matin j'ai fait une transe en voyant
une fleur sur la glycine. Le coup de vieux."

"J'ai pris le RER. Le collapse…
C'est comme la braderie Isabel Marant
mais sans les fringues."

"Son mot de passe c'est motdepasse.
Je parie qu'il a voté Bayrou en 2007."

"Elle n'éteint jamais le chauffage de l'année.
Les mois chauds elle ouvre la fenêtre.
Elle a cent kilomètres de banquise sur la conscience."

"Tu sais comment on peut faire bâiller
les gens en bâillant devant eux ? Eh bien
elle a ce pouvoir mais sans avoir à bâiller devant toi."

"T'as couché pendant tes vacances à New York ?
– Non, y avait que des Ricains."

"On reçoit ce CV du gamin
multidiplômes parfait. On l'appelle, messagerie :
'Kikoulesloulous laissez un message
après le prout'."

"Tu dis pas bleu marine, tu dis elle a travaillé
un goudron industriel."

"Alors ton plan cul ?
– J'arrive chez lui, il avait une couverture
chauffante. Impossible de jouir."

"Tel Aviv c'est ma Bretagne."

"Ah non mais j'ai arrêté de tweeter
les phrases cons que j'entendais,
c'était trop chronophage."

"Les provinciales, c'est elles qui sont les diaboliques."

"Leur soirée s'appelait Fuck Me I'm Famous. Oui."

"La mode c'est fini, les gens sont passés
à autre chose."

"Tu lui parles trop, il te voit comme
sous les néons crus d'une laverie.
Pas de mystère. Faut tamiser."

"Ma fille parle du cul de son prof de maths
avec les yeux du vice."

"Mais… Tu les as payées ces chaussures ?"

"Je voudrais un jus de carotte noire s'il vous plaît."

"Mon fils pense que la mort
c'est deux candidats de télé-réalité
qui se tiennent la main avant de savoir
qui est éliminé."

"Je déteste tout changement. Je suis néophobe."

"Les écouteurs à quatre branches,
c'est ça la vraie romance."

"Tu as bien pris ton petit déjeuner ?
– Oui, je viens de manger
un hectare de céréales."

"J'étais tellement sous ecstasy au défilé tatouages
de Gaultier en 1994 que je ne voyais plus rien.
Je tendais le micro vers le son."

"Oh j'adore ces espadrilles blanches.
Ah mince, c'est prix sur demande."

"Quand il parle j'entends le bruit de l'erreur."

"Il fait de la mode d'art et d'essai.
Ce sont des chemises d'auteur."

"Ce sont des livres de philosophie
pour le métro. En dix stations
on te fait la Vérité, l'Événement, Derrida,
à prix vraiment sympa."

"C'est une robe malhonnête."

"Il est odieux mais on peut pas lui en vouloir
quand tu vois les sacs qu'il imagine saison après saison."

"Si une bombe explose au milieu de ce dîner
il n'y a plus de mode à Paris.
– Euh, non il y aura juste 40 snobs de moins."

"Tu connais l'adage comme quoi
il faut jamais faire de robe moche
parce que quelqu'un va l'acheter ?
Eh bien ça vaut aussi pour les sacs."

"Comme on est une douzaine
pour ce pique-nique je propose
qu'on définisse tout de suite le hashtag
pour la cohérence réseaux sociaux."

"C'est quoi ton sac ? Picard Surgelés ?"

"Elle est tellement altermondialiste
qu'elle s'est endormie
devant *Le Loup de Wall Street*."

"Elle est condescendantale."

"Elle est vraiment très méchante.
À la rédac on l'appelle Louboutine.
Louboutin Poutine."

"Si tu n'aimes pas les spoilers,
ne regarde pas le physique du père de ton mec."

"Tu te rappelles quand on a fait les toboggans
du parc aquatique sous MD ? Eh bien, là,
ce matin, c'est exactement l'inverse."

"Oui, mais elle a une violence très saine, constructive."

"Elle porte des vieilleries. J'imagine
qu'elle attend que ça revienne à la mode."

"Dès qu'il ouvre la bouche pour parler,
le temps se dilate et t'as l'impression
de te faire la ligne 10 du métro en entier."

"Au petit déj je mange une tisane citronnée
et je suis calée."

"On est masstige digital native je te rappelle."

"Si on lui donnait un euro à chaque fois
qu'elle tweete méchamment
elle serait en Saint Laurent."

"En réunion on était 8 sur 10 en Stan Smith.
– T'as remarqué que les hauts salaires
ont celles qui sont le plus défoncées ?"

"Elle me parle d'écologie
avec ses trois téléviseurs, son abonnement
à mille chaînes, ses deux bagnoles
et sa teinture blonde pourrie."

"Tu veux du champagne ?
– Non merci, ça me rappelle trop le boulot."

"Tu me connais, je suis content
que si je baise ou je bosse."

"J'ai relu *Le Diable s'habille en Prada*,
ça a vieilli. Aujourd'hui les jeunes sont pires.
Le Diable s'habille en Mango."

"T'as relu *Le Diable s'habille en Prada* ?
Sérieusement ?"

"Je suis à la campagne. Countryside.
Tout sent le cumin. Je te raconte pas
la realness…"

"Quand j'ai quitté Paris pour la province,
le choc. Autant pour eux que pour moi.
Je suis allé qu'une fois en Rick Owens
à la boulangerie."

"Non mais lui propose même pas ta balade.
S'il n'y a pas d'escalator,
elle n'y descend pas à ta plage."

"On a un projet de télé-réalité
autour de la brocante."

"Putain le huis clos quoi…"
(en regardant un arbre)

"La boutique APC la plus proche
est à deux fuseaux horaires."

"Pourquoi l'oiseau tape sur la vitre ?
– Il croit que son reflet est un mâle concurrent."

"Il cavallise tout. Sur lui,
du Hermès a l'air tape-à-l'œil."

"Il est une publicité vivante contre la bière."

"Le financier à la con est venu et il a dit
sky is the limit. Sachant qu'on bosse
dans une cave avec le sky à 10 cm de nos têtes."

"Il vit dans une autre dimension.
Celle du 16 août à Paris. Il fout rien."

"J'ai eu ma carte de presse.
– Sérieux ? ? ?"

"C'est une télé-réaliteuse."

"On a maquillé un effet sunkiss
sur l'arête du nez."

"Son bronzage est hors Pantone.
À côté, Valentino est pâle."

"Je suis styliste de tatouages."

"Plus qu'un coach, c'est un ingénieur du corps
tu comprends."

"Bonjour, est-ce que vous auriez
le *Libération* d'hier ?"

"Oui mais c'est un selfie ironique."

"Je te préviens, ce samedi soir
je fais comme s'il n'y avait pas de dimanche."

"Il n'est pas beau. Mais il se vit beau."

"Je suis directrice des chaussures."

"Elle paie un loyer pour la cabine d'essayage
du H&M de Rivoli."

"Je suis attachée de presse, je ne sais même plus
quand je mens.
– M'en parle pas, je suis journaliste c'est pire."

"Ça me rappelle le jour où le PDG
a découvert la ligne du budget fleurs pour la muse…"

"T'as jamais fait un casting à Milan ?
C'est brutalala. Les Italiens te font regretter
d'être née. À la fin, tu t'excuses
d'avoir un visage."

"Nicolas Ghesquière vient d'instagrammer
ses Stan Smith avec son effigie sur la languette.
Je suis tellement jaloux."

"J'ai le syndrome Jérusalem/Saint-Tropez.
J'oscille entre les deux."

"Elle fait tellement de pauses clope,
on dirait une cariatide à l'extérieur du bureau."

"Monsieur, vous faites du mal à Paris !"
(en claquant la porte du taxi)

"Elle a une autorité monochrome."

"Bonjour ! Je voulais vous introduire mon créateur !"

"Je l'aime beaucoup mais elle est vraiment con
la pauvre."

"Il a toujours l'air de sortir de douze heures
de confinement en classe éco. C'est son look."

"Dans nos garde-robes il y a des cintres vides.
C'est la partie qui aurait dû être remplie
par Helmut Lang s'il n'était pas parti."

"Désolé pour les fautes d'orthographe.
– Pas de souci, je bosse à la télé…"

"Sa réussite fulgurante c'est la preuve
que n'importe qui peut réussir."

"C'est quoi ton parfum ?
Pubis de Tom Ford ?"

"J'ai rien à me mettre. Promets-moi
que si je meurs aujourd'hui tu iras m'acheter
d'autres fringues pour le cercueil."

"Ton bébé est splendide.
Il a la peau de Nicole Kidman."

"Elle se suicide au bacon."

"Mais non, tu confonds genre et sexualité."
(en mangeant une pomme de terre)

"Ça rouille, l'or ?"

"Je viens de fumer le joint qui replace
Brest en Alsace, je peux pas te parler."

"C'est la dailymonopisation de tout."

"Une nuit avec lui c'est comme avoir
le hoquet dans un lit mezzanine Ikea en métal."

"Elle est majoritairement gentille
mais c'est son corps qui est inouï."

"Mais pourquoi tu as pas eu le permis ?
– Je me suis arrêté à un feu vert."

"Elle a fait quoi comme école de journalisme ?
– L'institut Pomme C Pomme V."

"Elle surgenre ses gosses. Tellement binaire…"

"C'est une robe qui te donne l'impression
de commander tout l'open space."

"Attention, elle fait sa tête 'Beyoncé visitant
le musée Anne Frank', c'est pas bon signe."

"Elle s'appelle Veronica.
C'est comme Véronique mais en croate."

"J'en peux plus des assistants débraillés.
Quand je débutais je venais au bureau
en Mugler. Avec le trou de l'antivol,
mais en Mugler."

"Ma boss a débarqué à ma fête d'anniversaire
sans prévenir. Le choc…
C'était Isabelle Huppert dans *Twilight*."

"Café ou champagne ?
– Les deux."

"C'est pas une histoire de bon goût
c'est une histoire de bien-être. Tiens,
je parle comme une vendeuse de Crocs."

"On a déposé le mot Mercantile.
Ça nous appartient."

"Elle bosse au Madame."

"En snobisme, elle est ligue 1 dilatée."

"Tu peux changer la couleur des sous-titres
de la série de jaune à blanc ?
– Bien sûr. Et je t'inverse la courbe du chômage
pour la mi-juin ?"

"Ma fille va si souvent chez American Apparel
qu'elle dit 'je vais chez Amap'."

"Mais, il a un miroir chez lui ?"

"C'est quoi cette blouse d'infirmière ?
– Oh c'est rien, c'est une vieillerie
de la collection Louis Vuitton avec Richard Prince."

"Faut jumpcuter, ça fera chic."

"T'es joli comme une fille."

"Elle m'a fait jurer le silence absolu
mais toi je peux te raconter."

"Je refuse de me laisser emmerder
par quoi que ce soit d'à peu près terrestre."

"Elle a éteint la musique dans la rédac.
Elle a tonné : 'Le journalisme c'est le silence
et un stylo.' Et elle est partie déj chez Prunier."

"On n'offre plus que des fleurs
aux rédactrices. Tout autre cadeau
est revendu en ligne dans l'heure."

"C'est une vraie Parisienne. Elle met du Chanel
comme si c'était du Monoprix et du Monoprix
comme si c'était du Chanel."

"Wow. Ton cul est dur comme un crâne.
– C'est normal, c'est avec lui que je pense."

"Elle ne dit jamais non, elle dit
'mon assistante va prendre votre numéro'."

"J'ai faim. Tu as une infusion ?
– Non, du thé.
– Donne-moi juste de l'eau chaude alors."

"Je peux rien cacher à ma psy.
Elle lit le code-barres sur ma tête."

"C'est quoi le prénom de Fabius ? Alain ?
Non c'est pas Alain Fabius ?"

"On était jeunes, on roulait en 205
et on pensait qu'avec un nouveau nez
tous nos problèmes seraient résolus."

"À partir du moment
où il parle plus d'une heure avec quelqu'un
ça devient un 'ami'."

"Je suis allé à son anniversaire,
c'était une piscine remplie de pecs."

"Elle fait du journalisme frivole
mais très rigoureux. Elle aura le Lily Pulitzer."

"T'as fait quoi aujourd'hui ?
– Déjeuner, bières, dîner."

"On était en Irlande. Il pleuvait tellement
qu'il pleuvait de bas en haut."

"Je bosse avenue Montaigne.
Si on faisait des camisoles, on en vendrait
des milliers. Avec du strass, bien sûr."

"C'est quoi ce vert ?
– Vomi de la Reine."

"Elle est morte. Sa nécro sur le site
du *Vogue* anglais est recouverte de pubs Prada."

"Elle ne vieillit pas. Je crois qu'elle habite
chez Deyrolle."

"Tu pourras pas l'arrêter et c'est même pas
de sa faute. Elle vient de la planète Guess."

"On n'a qu'une vie.
Autant qu'elle soit fabuleuse."

"Elle fait toutes les soldes de presse.
C'est son côté associatif."

"Il m'a tout rien raconté."

"Il suffit de lui appuyer sur le ventre
et elle dit des horreurs pendant des heures.
C'est une Parisienne quoi."

"Tu derushes le bab et tu notes les TC
des pixels morts sur l'Avid derrière le nodal."
(au stagiaire qui sort d'une école de commerce)

"Sous prétexte qu'il est en train
de se taper 22 films gratos à Cannes
il croit que c'est nous qui sommes extra-muros."

"Franchement, je vais lui repayer des rides,
on lui a enlevé la réalité de son visage
la malheureuse…"

"J'ai acheté une table.
– Me dis pas que c'est une Prouvé.
– Si, pourquoi ?"

"Comprendre ma boss c'est comme essayer
de reconnaître une odeur dans un Sephora."

"Quand la redchef mode arrive au bureau
on s'assoit. Les mains sous les cuisses.
Ça réduit les risques de meurtre."

"Homicide sur rédac chef mode
tu prends combien ?
– Oh juste une amende je pense."

"J'arrive pas à rendre mon papier,
à trouver la justesse de ton et évoquer
avec précision ce moment de vie.
– Bois."

"Je viens de me prendre une averse
de type François Hollande."

"C'est un papier qui parle du corpus godardien."

"Au fond, je suis simple tu sais."

"C'est le flash parfait qui crame la peau,
effile le nez, enlève deux molaires."

"Ne le prends pas personnellement,
elle déteste le monde entier.
Rien à voir avec toi.
Même si moins de parfum aiderait."

"Arrête de croire qu'elle va te valider.
Sois toi-même." (piège tendu au stagiaire)

"Le grand-père était un baron d'industrie
mais le petit-fils de 19 ans est en troisième.
Ça a commencé Kaspia ça va finir KFC."

"Cette nuit elle a rêvé que Jean-François Copé
faisait une collection H&M. Elle
est de très mauvaise humeur."

"À la fin de mon mail de licenciement
il y avait écrit : 'Sent from my iPad'."

"Il est annakaréninien."

"Le dîner ? C'était la même chose
que l'an dernier sauf que tout le monde avait
rajeuni d'un an."

"Elle est morte. Faut juste qu'on la prévienne."

"Je suis comme tout le monde."

"J'ai l'idée d'une série mode sur la pureté.
Mais pas la pureté cochonne qu'on a trop vue.
Une vraie pureté pure."

"J'adore la mode mais c'est tout
ce que je déteste."

"Je bosse dans le chômage."

"Ah bon on est mardi ? Non
mais mardi quoi... Le jour qui sert à rien."

"C'était presque aussi chiant
qu'un supplément montres."

"Ça va mon sable chaud ?"

"Elle est aussi fiable que la connexion Internet
dans le métro."

"C'est horrible ce soleil."

"J'ai faim. T'as pas un truc à manger
qui fait maigrir ?"

"C'est un fin stratégiste."

"J'adore le dénuement."

"Il est beau mais bon, pour un lookbook
de Pre-Fall, pas plus."

"Tu connais ton signe aztèque ?"

"J'aurais adoré être du lion."

"Elle pense que le mot vraiment a un sens.
Avec elle, tout est vraiment.
C'est vraiment beau. C'est vraiment bleu."

"Il revient de Berlin. Il se remet
tranquillement de sa nuit de vendredi à lundi."

"Notre standardiste appelle les coursiers
Bichette. Je veux faire une Web série sur lui."

"Il est surexcité d'être enfin à Paris.
Il est dans sa phase 'je suis un exemplaire
de démonstration'."

"Il a des Warhol comme si c'était des assiettes."

"Elle a un melon de type coiffe bigouden."

"Il a perdu beaucoup de poids, non ?
– Oui ! Il s'est cassé la mâchoire.
– Volontairement ?"

"Eames c'est tellement fini."

"Quand elle brainstorme elle oublie de mettre
le couvercle sur le blender et ça éclabousse,
c'est fantastique."

"Oh merde elle vient vers nous oh non
oh merde oh bonjour ma chérie tu vas bien ?"

"C'est l'armoire qui était sur toutes les lèvres à Milan."

"Son personnel de maison a vieilli avec lui.
Ils ont des toiles d'araignée dans les aisselles."

"C'est un rubis 'sang de pigeon',
la couleur est rarissime."

"J'ai lu dans *Libé* que les ados vapotent
goût mangue et Redbull. Tu te vois gérer
un gosse qui vapote du Redbull ?"

"Il est DRH. Il joue à Tetris,
mais avec des gens."

"C'est qui la styliste ?
Une vieille copine aveugle ?"

"J'ai tellement faim je pourrais manger."

"Tu ne connais pas Maïmé Arnodin ?
C'est elle qui a tout inventé.
Elle a inventé la tendance, elle a inventé le noir."

"Cet été je vais à Barcelone
et je vais être vulgaire."

"C'est Victor.
– Ton nouveau mec ?
– Oui. Il s'appelle Christophe
mais j'ai eu trop de Christophe
alors je l'appelle Victor."

"Soit c'est l'idée la plus con du monde,
soit tu deviens milliardaire.
– Ou les deux. Le monde est rempli
de milliardaires cons."

"Et toi c'est quoi ton actualité ?"

"Allô ? Allô ? Allôallôallô ? Allô ? Allô ? Allô ?
Oui je t'entends très bien."

"Ce sont des talons conçus pour être vus
dans l'autre sens. Jambes en l'air."

"Elle est semi-riche. Acné c'est son Zara."

"T'es vraiment un mec facile.
– Pas plus que les autres."

"Tiens, j'aurais pas retouché la mâchoire
comme ça." (feuilletant)

"Je viens de voir une fleur jaune
tellement sublime.
– Toi qui n'aimes pas le jaune.
– Je sais. Mais elle m'a inspiré."

"J'étais sur la Google Beach à Cannes."

"Ils devraient faire un passe Navigo
pour les défilés. Ça m'éviterait d'avoir
la boîte aux lettres qui déborde de cartons."

"Il a mis seulement ses initiales
sur son interphone. Il croit qu'il est célèbre."

"Toi tu es taillé en V, moi je suis taillé en O."

"Il habite en France, le succès c'est pas son truc."

"Avec lui le temps passe comme si tu démêlais
les fils de ton casque audio
pendant des heures et des heures."

"Non mais je ne fais pas dans le mec marié.
Enfin, plus."

"Il est un peu laiteux mais il est très beau."

"Il n'a rien lu mais il a 20 ans
donc c'est quand même lui qui a raison."

"Elle va en robe du soir à la boulangerie.
Enfin, elle ne va pas à la boulangerie
mais tu vois ce que je veux dire."

"Elle ne dit que des conneries géniales.
Quand elle parle, il pleut du miel."

"Je viens de me faire redistribuer les énergies
ça fait un bien fou je suis à nouveau
sur les rails."

"C'est une mode intelligente mais on s'en tape."

"Elle est maquillée
comme un compte de campagne UMP."

"Il est rédacteur en chef de *Mall Magazine*
à Dubaï. Je sais pas si tu vois
le power du mec."

"Le dress code pour le dîner c'est Pantone 1935.
Et attention, solide Pantone. Uni.
– C'est-à-dire ?
– Fuchsia foncé."

"Ce soir je sors et j'aurai des problèmes
de vodka et de jolies filles."

"C'est notre nouveauté :
des valises sans roulettes."

"Non c'est pas tout à fait blanc. C'est vapeur."

"On y croit aux lacets bleus ?"

"J'ai pas le temps de faire le ménage,
c'est trop terrestre."

"Pas la peine d'essayer d'aller faire les galeries
ce week-end, elles font toutes showroom
de fringues noires."

"Bonjour.
– Bonjour on voudrait une salade
et quatre couverts.
– Une salade pour 4 ?
– Oui merci !"

"Ça te va bien mais t'as grossi."

"Il est un peu trop tatoué.
Quand il est à poil c'est Arlequin."

"Ma fille de treize ans vient d'avoir son cul."

"Je tombe amoureuse toutes les deux minutes."

"Il est génial.
Tellement loin dans la stratosphère…"

"Le profil du stagiaire qu'on cherche
c'est Sciences-Po Givenchy Couture."

"Ma fille ne respecte rien,
sauf les fringues neuves."

"Il confond avaler le plus de consonnes possible
et s'amuser."

"En anglais cette fleur s'appelle haleine de bébé."

"Il a une beauté française."

"Quand tu y penses tu sais qu'il vaut mieux pas
y penser."

"Il est beau. Mais beau, genre injuste."

"Je suis dans une semaine où je ne fais pas
trop de shopping. Ça me dégoûte presque.
Et la semaine prochaine j'en ferai nuit et jour."

"Ils ont retrouvé un mec dans une valise
il y a deux ans, alors ils reconstituaient
le crime hier soir en bas de chez moi."

"N'apportez pas de cadeau, votre présence
est déjà un cadeau. En tout cas, pas de livre."

"C'est trop dur, j'en peux plus,
je trouve vraiment pas de lunettes de soleil."

"Mais depuis quand 'adorable'
est devenu une insulte ?"

"C'est quoi déjà ce dictateur qui s'appelle Kim ?"

"Elle est pire qu'une Parisienne.
Je sais pas si tu arrives à imaginer."

"On s'est beaucoup sexté lui et moi
quand je faisais ma dépression. Ça m'a distrait.
Ça m'a aidé."

"Au sport, sa gourde c'est une bouteille
de champagne qu'elle remplit d'eau."

"C'était quoi cette couleur ?
– Abricot pourri."

"Tu vois le décalage entre Instagram
et la réalité ? Eh bien il vit dans ce fossé."

"Si ses pecs pouvaient parler il serait
peut-être intelligent."

"Tu sais, tes snobismes seront toujours
les banalités de quelqu'un d'autre."

"Elle est mignonne mais trop.
Elle a du sang rose dans les veines
et des os en bonbon."

"Je ne me drogue pas.
– Tu as pris des champignons
et fumé le week-end dernier…
– C'est pas de la drogue ça."

"C'était un dîner assez calme. Ça a dégénéré
quand on a cherché quel personnage
de la *Recherche du temps perdu* était Nabilla."

"Il est con comme de l'eau gazeuse tiède."

"Elle se croit au-dessus d'Internet."

"C'était comment ta soirée ?
– J'ai perdu ma dignité.
– Définis perdre."

"Non toi fais le selfie, t'as le bras plus long."

"Après le Spécial Mode, le Spécial Cheveux
et le Spécial Parfums, le prochain numéro
sera un Spécial Annonceurs, c'est plus simple."

"Elle l'a plaqué en lui expliquant
qu'elle n'avait pas le temps."

"Au départ je voulais bosser dans l'industrie
de la mode, pas l'industrie du compromis."

"Je le connais pas mais je le déteste."

"Je suis en train de lancer une boîte.
On va se planter mais c'est super excitant."

"C'est noir.
– Non, c'est merle."

"C'est un parfum symbolisant
la capitulation devant l'amour.
Bourgeons de cassis, bois de santal, vanille."

"C'est too much ?
– Tu sais, la frontière du too much
tu l'as déjà franchie, t'as envahi le pays,
renversé le gouvernement et tué le peuple."

"Son iPhone est un de ses organes."

"C'était vraiment une envie de réinventer
le noir." (en parlant d'une chemise blanche)

"Elle est soit au régime, soit en train de manger
ou en train de manger en parlant de régime
ou au régime en parlant de manger."

"J'ai une mauvaise idée
dont il faut que je te parle."

"C'est une bougie parfumée parfum goutte
de pluie."

"Ils avaient compétences égales.
Alors j'ai embauché celui
qui avait le meilleur compte Twitter."

"C'est bizarre de vouloir toujours aller
au même restaurant, à la même boîte,
de toujours vouloir revivre la même soirée,
le même week-end."

"Elle photoshope son bébé de deux mois."

"Y a tellement de gays dans mon quartier
que mon Grindr ne va pas
à plus de vingt-deux mètres."

"Elle mange des hommes
et recrache des diamants."

"C'est un radiateur ou une sculpture ?
– Une sculpture.
– Ah désolé. C'est joli en tout cas."

"Il a des amis ?
– L'amitié c'est pas son problème."

"Il est agoraphobe en ce moment
alors il a dirigé la séance photos par Skype."

"J'ai un projet de documentaire très humain
sur la crise économique dans le Nord.
– Le nord de Paris ?"

"C'était très con ça m'a fait penser à toi."

"Elle adore les mauvaises nouvelles,
elle est toujours la première à annoncer
une mort sur Twitter."

"Toute la rédaction la déteste.
Quand elle parle on se met en mode avion."

"Elle l'a largué d'un accord mutuel."

"Il est chômeur. Enfin, scénariste."

"Ça sent le pétrole non ? Quelqu'un ici porte
un truc de la collection H&M Alexander Wang ?"

"C'est une bonne vivante. Elle mange autant
que toi tu ne manges pas."

"Mais non tu dis pas 'Saint Laurent Paris' !
C'est comme dire 'Prada Milano'
ou 'Chanel 31 rue Cambon'."

"Mon nouvel appartement
est horriblement grand. Il y a de l'écho
quand je parle. Je dois téléphoner du balcon. Et j'ai froid."

"C'est un vrai, un dur. Tu ne vois pas
ses tatouages parce qu'il est tatoué de l'intérieur."

"Je suis tellement fatiguée que je ne dors plus."

"Il y avait un million de personnes
à son anniversaire. Il y avait Kate Moss et un hashtag."

"Ça se lave comment ?
– Ça ne se lave pas. Tu le mets une fois,
tout le monde te voit avec et tu le jettes."

"Je l'adorais. C'était la dealeuse d'Yves
et de Sagan."

"T'es belle ce soir.
– Oui."

"Tu penses qu'il est mytho ?
– Non. Il n'est pas assez intelligent
pour inventer."

"Tu dis pas bof tu dis fantastique coup de cœur
de la rédaction. Tu dis pas routinier
tu dis chorégraphie extrêmement bien huilée."

"Je me le taperais bien
mais il faudrait qu'il se taise."

"Niveau maquillage, elle s'halloweene
toute l'année."

"There was a fire and she shouted 'Save the
furs !' but I decided to save the moodboard."

"Les psys disent que les sacs à main
sont des vagins.
– Oh là là, les mecs de la sécu de Beaubourg
qui ouvrent les sacs toute la journée…"

"Pour le thème de la collection,
on hésitait entre Porcelaine Russe
et Fluo Techno.
– Vous avez fait quoi du coup ?
– Panthère Léopard."

"Avec des fringues comme ça
elle n'a pas besoin d'ennemis."

"Tu es au moment crucial où tu décides
soit de vieillir soit de rajeunir. Dans les deux cas
on dira que tu es devenue affreuse."

"Tu dis pas moche tu dis artisanal.
Tu dis pas ringard tu dis patrimonial."

"Il fait un régime où il lit Marguerite Duras
et mange du poulet. Ça marche."

"Qu'est-ce que tu as ? On dirait que tu as vu
la mort ou un tube de mayonnaise."

"Fais pas de photo de moi ici,
je suis en train de fakegrammer
que je suis au bord d'une piscine."

"He died with tremendous grace."

"T'es belle, tu devrais faire un selfie."

"S'il pleuvait sur les cons, il serait en Burberry
toute l'année."

"Disons qu'elle dessine des vêtements
pour des gens qui n'ont pas besoin
de faire l'amour."

"Est-ce que je ne peux pas avoir une journée,
juste une journée, une petite journée,
sans douleur ?" (en goûtant un Coca Zéro tiède)

"J'ai pris une grande décision ce week-end
à Amsterdam.
– T'es fou, il ne faut jamais rien décider
à Amsterdam."

"Lui ? Sur un malentendu
à deux heures du matin je dirais pas non."

"C'est qui la rédactrice en chef ?
– Choupette."

"Sa collection d'art est un Who's Who
de la mistake."

"Elle vient de se marier
pour la quatrième fois. J'ai plus été
à ses mariages qu'à ses anniversaires."

"Elle est intelligente, entre guillemets."

"Elles ont loupé leur avion, on a dû leur payer
un jet. Elles sont arrivées ivres mortes
et pas un merci pas un tweet."

"Si l'attaché de presse a le melon
c'est que le créateur a le melon.
C'est la pyramide du melon."

"J'avais faim j'ai avalé mon chewing-gum."

"Chez Chanel, c'est chic, ils n'avaient pas écrit
Standing sur mon carton mais Rang Z."

"Je travaillais dans le conseil et on me prenait
pour une dingue. Maintenant,
je suis dans la mode et je suis normale."

"C'était génial. Ce sera moche porté
mais c'était génial, une vraie proposition quoi !"

"Embrasser le créateur à la fin du défilé
c'est comme embrasser la barre en métal du métro.
C'est pour ça qu'Anna l'embrasse avant le show."

"On ne dit pas mini.
On préfère dire maxi court."

"Chez Gaultier j'ai chopé mon assistant
en train de googler Catherine Deneuve.
Il savait pas qui c'était."

"Elle veut que je sois 'sérieux'…
Je lui ai répondu qu'il y a assez de gens sérieux
dans le monde comme ça."

"Le talent de faire parler de soi
est aussi important que le talent en soi."

"Ne marchez pas en croisant les jambes.
Marchez moderne."

"Ce n'est pas beige. C'est blanc nature."

"Elle est adorable.
– Oui c'est son métier."

"Les robes étaient longues c'était indécent."

"Il n'y avait pas d'invitations écrites.
Ceux qui se pensaient invités se sont présentés."

"Tu peux faire un selfie de moi ?"

"Anna n'est pas là aujourd'hui.
Elle est au mariage de George Clooney."

"Oh regarde, des pickpockets qui se reposent.
Les touristes doivent être en train de déjeuner."

"Tu devrais arrêter de tout noter,
tout shazamer, tout filmer et commencer
à profiter un peu."

"Elles sont en baskets. Elles me dégoûtent.
Elles ne font plus aucun effort de pieds."

"J'avais décidé de boire du thé
mais donnez-moi de la vodka."

"T'as aimé alors ?
– J'ai adoré.
– Ah bon tu mettrais quoi ?
– Rien, j'ai pas aimé les vêtements
mais l'énergie."

"Faut que j'aille donner à manger à mon chat
avant d'aller chez Lanvin."

"Elle est con.
– Qui ?
– Cette journée."

"Qu'est-ce qu'elle fait dans la vie ?
– Elle crée du clic."

"Il s'habille normalement maintenant.
Il était en Céline hier.
Je l'ai presque pas reconnu."

"Je comprends rien à mon sac."

"Elle est parfaite 28 heures sur 24. Horrible."

"Il vaut mieux le faire trop que de regretter
de pas l'avoir fait du tout."

"Je la connais bien. Elle m'adore.
Je vais te prêter son avion."

"L'idée de génie c'est d'avoir enlevé
une des anses du sac pour créer
ce déséquilibre tellement moderne."

"J'ai envie d'océan et d'un burger."

"Il n'a photographié que des gens
qui sont morts depuis… On l'appelle
le Père Lachaise."

"Tant que je ne saluerai pas
à la fin du défilé Dior mes parents
ne comprendront jamais ce que je fais."

"Le parfait on s'en fout.
On veut que ce soit intense."

"Il n'y a pas assez d'émoticônes
pour mes émotions. J'en veux beaucoup plus."

"Elle a un hôtel particulier pour recevoir, un
appartement pour les vêtements
et un appartement pour dormir."

"Tu vois cette histoire de cerveau gauche,
cerveau droit ? Eh bien
elle a un cerveau chaussures, un cerveau sacs."

"C'est un burger mais c'est pas un burger,
c'est un burger revisité, sans pain,
c'est un burger de femme." (sérieusement)

"L'inspiration c'est une fille
qui fait de la bicyclette sur un volcan."

"C'est une bonne cliente.
Elle achète énormément.
On l'appelle l'Aspirateur."

"Elle est gentille gentille ou gentille odieuse ?
Parce que je connais des odieuses
qui sont gentilles et inversement."

"Un jour, sa garde-robe s'écroulera
et l'étouffera. Une mort heureuse."

"Elle est rapide à rien comprendre."

"Lui, il est dans le top 5 des créateurs
les plus difficiles à qui faire un cadeau.
Karl, depuis Choupette c'est facile."

"Attention ! Ne vous embrassez pas !
Vous avez toutes les deux des tops brodés,
ça va s'accrocher ! On va mettre deux heures
à vous séparer."

"Arrête de penser logique. Pense mode."

"C'est un jean moulant ou t'as grossi ?"

"Ne lui donne pas d'interview.
Il a la nouvelle caméra triple HD
qui fait la peau mauve avec chaque pore
qui devient un cratère."

"La vie c'est difficile on fait pas ce qu'on veut.
– Parle pour toi."

"Je sais pas comment tu fais. Si je m'entendais
je me détesterais."

"Il est sublime ton vernis à ongles.
– Oui c'est comme un rouge noir sauf qu'il est vert."

"Ce ne sont pas des prix industriels
mais des prix émotionnels. On se base
sur la valeur que ça aura dans la tête de la cliente."

"Sois polie quand tu l'appelles.
Prends ta voix Chanel."

"C'est horrible à quel point tout est en train
de devenir normal."

"Elle est froide et prévenante.
C'est pas une femme c'est un algorithme."

"Féliciter un créateur pour la musique
c'est comme dire à un romancier
dont tu viens de lire le livre
qu'il est bien coiffé."

"Ne me filme pas, je suis trop gros,
avec moi ta carte sera Memory Full
tout de suite."

"Elle, c'est profession Selfie."

"Il est sympa ton pull.
– Je sais. Céline."

"C'est une personne formidable
donc j'ai pas envie de l'abîmer
donc je l'ai quittée."

"À cause de la grève Air France,
le Paris-Milan EasyJet ce matin était
un moment d'humilité. On n'entendait
pas un bracelet Hermès tinter."

"T'es pas mal mais tu te mets pas en valeur.
Cela dit, c'est mieux que tous ces moches
qui se surexploitent."

"Sa capacité d'émerveillement est à zéro. Sois bref."

"La viande rouge c'est comme Prada
si tu en as une grosse envie faut te lâcher."

"Elle a l'argent chiant. Elle serait
presque mieux pauvre."

"Vu comment elle s'habille tous les jours
je me demande comment elle se fagote
quand elle va vraiment à un mariage."

"No one is chic. Everybody moche."

"C'est du python qu'on a déteint
pour y imprimer un effet python.
– Vous avez dépythoné pour repythoner ?
– Oui."

"Oh oui faisons un super déjeuner !
Envoie-moi un mail fin du mois prochain !"

"Jay Z est arrivé sur scène et il s'est mis à crier
Tom Ford Tom Ford Tom Ford
pendant cinq minutes."

"J'adore ton look. C'est... coloré...
– Merci. Il y a trop de négativité
dans le monde alors je voulais répandre de la joie."

"Il a un corps à ouvrir des portes
chez Abercrombie."

"Je me le suis tapé cette nuit.
– Ah moi aussi avant-hier, il est cool."

"J'ai la dalle je pourrais manger un mannequin."

"Au défilé Marc Jacobs il y avait une mannequin
qui s'appelle Roger."

"Je suis une Libanaise coincée
dans un corps de Breton."

"J'adore ton tatouage Mercedes.
– Non c'est le symbole de la paix.
– Oh ! Il y a tellement de logos maintenant..."

"I have a lot of books at home.
All the sneakers litterature."

"Je me fais tellement voler mes vélos à Paris
que maintenant je les achète par deux."

"Pas plus de trois couleurs sur une tenue.
Là, tu ressembles à un arc-en-ciel en plastique."

"Sur la mannequin c'est une robe sirène.
Sur la cliente ce sera une robe baleine."

"Il est mannequin et ingénieur environnemental.
– C'est un beau jardinier tu veux dire ?"

"Cette ville ne te comprend pas.
À Berlin tu deviendrais une star.
Tu deviendrais une rumeur."

"Tu as couché avec ?
– Aucune idée."

"Si je lisais des livres je lirais ce livre."
(à propos de *Merci pour ce moment*)

"Ah non tu t'instagrammes pas
dans l'hélicoptère. C'est trop beauf.
Le selfie dans la Rolls tu peux
mais que si elle est vintage."

"Elle s'habille comme une échangiste."

"À 40 ans on efface tout et on recommence."
(slogan Biotherm)

"J'adore le vrai vide d'août par rapport
au faux plein de septembre."

"Je vais me coucher, je dois aller tôt
chez *Vogue* demain matin."

"Allez prends ton iPad on va à la plage."

"Ma plus grande peur c'est me réveiller
après une cuite sans me rappeler
ce que j'ai fait. Et je connais bien cette peur."

"Il a appelé son chien 'Monsieur'.
Il le vouvoie. C'est un chien très bien élevé."

"Elle est à ce stade des vacances
où une partie de Uno est trop intense."

"Il est serveur à New York. Il croit que le rosé
c'est du vin rouge mélangé à du vin blanc."

"J'ai couché avec. Il fait l'amour
comme du pop-corn dans le micro-ondes."

"Tu veux du raisin ?
– Non je préfère pas, c'est gras."

"C'est quoi le secret de ta longévité ?
– Les caprices."

"Tous les tableaux que je possède sont glauques.
Pour moi l'art doit être sinistre.
Un tableau mignon c'est comme un mannequin qui sourit."

"I believe you-ish."

"J'ai un avion demain pour aller essayer
la robe à Milan. La galère…"

"Je reviens de Bretagne. Le soleil de fou.
Il fait beau comme quand on était petits."

"C'est une attachée de presse Joconde.
Personne ne saura jamais
ce qu'il y a derrière ce sourire."

"C'est le dernier de mes anniversaires
de 35 ans, l'année prochaine
ce sera mon premier 39 ans."

"Elle est gentille
comme un tailleur Chanel gratuit."

"Ils dansaient en imitant le mouvement du bras
qui fait un selfie. C'était sublime."

"Qu'est-ce qu'il lui est arrivé ?
Il y a eu des soldes chez Lindt ?"

"Elle devrait se taire quand elle parle."

"J'adore. C'est comme un Tumblr imprimé."
(feuilletant un livre de photos)

"Elle lui a épluché le cœur.
Je peux te dire qu'il rissole."

"À Paris ils sont tous graphistes,
à Berlin ils sont DJs et dans le reste du monde
ils sont visual merchandisers."

"Ça existe encore cette marque ?
– Oui, mais maintenant c'est fait par des stagiaires."

"Les collections qui plaisent à tout le monde
sont de mauvaises collections."

"Désolé, elle ne donne plus d'interviews
pour l'instant, elle est fermée pour travaux."

"Il a des jambes d'Allemand
et un cœur de Portugais. Gaulé et sentimental."

"C'est pas un mensonge
c'est une vérité contextuelle."

"Elle a fait fortune dans l'équitable."

"J'ai vidé mon placard pour tout jeter
mais j'ai tout remis dedans. C'était trop beau."

"Le mec il te drague avec une voix grave
et après il boit sa vodka à la paille."

"Ça doit être fou de coucher avec quelqu'un
qui a des proportions aussi parfaites.
– Tu deviens géomètre."

"Non merci. C'est une année paire,
pas de féculents."

"Ça va ? Tu as le regard perdu
dans les regrets…"

"La quarantaine c'est t'as toujours rien compris
mais tu sais des trucs."

"J'ai fait des poches hautes parce que
je voulais révolutionner la posture des bras
sur le corps."

"Non mais je ne suis pas snob."
(à la terrasse du Flore)

"Tu crois que le mec qui a inventé
le bruit du bisou touche des droits d'auteur
à chaque fois ?"

"Hier soir c'était flamenco cœur rouge
flamenco cœur rouge mais ce matin
c'est flingue tête de mort flingue."

"Je suis parisienne. J'ai la Seine
qui me coule dans les veines."

"J'essaie de ne pas regarder Instagram
le week-end. J'ai besoin de limites."

"Je lis pas *Gala*, je vis *Gala*."

"C'est une robe à mille heures de broderie
faite pour être portée deux heures et arrachée."

"Elle est imperméable à la culpabilité.
Essaie plutôt la manipulation positive."

"Ça va ?
– Oui. Je suis un peu mort
mais une belle mort."

"T'as shazamé pendant Chanel ?
– Non j'ai pas eu le temps, je pétais les plombs
avec les robes."

"J'ai mangé comme s'il n'y avait pas de plage
dans dix jours."

"C'est une dramaqueen, elle transforme
les virgules en points d'exclamation."

"Le truc c'est que je suis assez belle
en noir et blanc de loin mais que la vraie vie
est en couleurs et proche."

"Tu l'as fait comment ton tatouage ?
Avec une fourchette ?"

"Son mec est un Vésuve de thunes.
Une éruption permanente de fric en fusion."

"T'as vu ses bagues ? Je pense
qu'elle a deux gardes du corps
rien que pour le petit doigt."

"Le prêt-à-porter de luxe
c'est pour le 1 % de riches.
La Couture c'est pour le 0,000001 %."

"Le seul truc accessible ce sont les manteaux
à 15 000 mais le reste tu oublies."

"J'ai l'impression d'avoir été gâtée
dans ma vie mais là…" (en Hermès
de la tête aux pieds, décrivant son week-end)

"Oh mon Dieu qu'est-ce qui t'est arrivé ?
– Oh rien c'est une brûlure de Poppers."

"Tu accouches quand ?
– Août.
– Bien joué ! Tu ne loupes ni la couture
ni les défilés de septembre."

"Il est beau mais il se repose
sur ses lauriers génétiques."

"Elle est malade ?
– Non c'est le maquillage."

"Il faut qu'on fasse une réunion
pour préparer la réunion."

"Do we buy a Kindle for the boat ?
– Darling, you don't read enough
for a Kindle."

"Il y a eu un orage de fric
et elle s'est pris un éclair de plein fouet."

"Elle transforme son Giacometti en lampe.
– Elle a le droit ?
– Elle le fait."

"Les gens veulent du bling crasseux.
C'est ça qui cartonne."

"Elle est un disque dur de vacheries.
Quand elle mourra, toutes ces techniques
d'humiliation disparaîtront avec elle…"

"C'est pas non plus si cher l'hélicoptère."

"C'était comment ?
– Minimaliste et rapide.
– Rien ?
– Le bon rien."

"Je l'adorais quand il avait du talent."

"Il a un de ces melons…
Il fait pipi du parfum."

"Je suis au bord du cheeseburger…"

"Mon travail c'est mon loisir.
– Et inversement."

"Elle fume et elle dort. C'est tout."

"Une chose est sûre : le moche a de l'avenir."

"Elle ne parle que d'elle et de personnages de fiction."

"On essaiera de déjeuner vers 17 heures."

"Je pédale dans la semoule,
il faudrait m'accrocher une dynamo,
je pourrais éclairer tout Paris."

"Même ses colères sont élégantes."

"On fait un dîner family avec des muses
et les rédacs-chef des *Vogue*".

"C'est quoi ?
– Oh rien, du Valentino d'il y a cent saisons."

"Mon plan cul d'hier ne parlait
ni anglais ni français ni italien.
Il parlait le langage du corps."

"Tu dis pas cinglée tu dis épatante.
Tu dis pas ivre morte tu dis incandescente."

"C'est un parfum inspiré par l'odeur
des pierres mouillées."

"J'ai eu 255 likes sur la photo en 25 minutes !
– Tu te rends compte que c'est 1 seconde
pour Beyoncé ?"

"C'est quoi ton talent caché ?
– L'humilité."

"Mon ex est narcissique et obsédé par moi.
– Comme toi."

"Je n'avais jamais rencontré quelqu'un
d'aussi injuste, et je travaille dans la mode."

"T'as mangé ?
– Oui, du Coca Zéro."

"On n'a pas de budget mais on te paiera
en chaussures, ok ?"

"Le secret c'est de lui dire toujours non
mais avec une formule affirmative."

"J'ai un peu honte mais je n'aime pas
New York. Ça ne me galvanise pas…
Je préfère cent fois Athènes."

"On fait de la mode, pas de la subtilité."

"Je viens de la région parisienne.
– Où ça ?
– Nice."

"J'adore mon coiffeur,
il n'a pas la grosse tête lui."

"Tout le monde peut être sublime.
Quel que soit son corps de départ."

"Ah non j'ai pas vu ce défilé Balenciaga,
j'étais en garde à vue."

"Quand il tombera amoureux,
il croira qu'il est malade."

"J'espère que ton tatouage t'a fait moins mal
qu'il ne fait mal à mes yeux."

"Elle est très prétentieuse. Elle s'habille
en Jean Prouvé."

"À mon bureau elles ont toutes
le même sac Trapèze de Céline
qu'elles croient coquille d'œuf pâle
mais qui est beurre."

"Il a mangé mon cœur en disant beurk."

"Ne fais pas de photo de moi. De toute façon,
je ne suis pas photogénique de décembre à avril."

"Elle n'aime personne. Même pas elle."

"On a fait un dîner sans photographe c'était génial."

"J'ai un super nouveau poissonniste
dans ma rue."

"Je travaille au département acquisition
de célébrités d'une boîte de com."

"Elle vit seule avec ses cheveux et ses bijoux."

"Je déteste mes mains. Je vais les couper."

"J'adore pleurer."

"Ils ont une beauté situationnelle.
Sans l'uniforme c'est moins bien."

"Le taux d'engagement avec mon corps était
un peu trop élevé hier soir."

"Visuellement on douille."

"Elle avait un business model mono-produit
et elle n'a pas survécu à la crise du legging."

"Elle a plus de Louboutin que de neurones.
– Oui. Et elle n'a pas tant que ça
de Louboutin."

"C'est quel jour jeudi ?"

"Écoute je ne sais pas. Je te propose
de te répondre après mon espresso
de demain matin."

"J'ai les yeux dans la nuque et la bouche
au-dessus de l'oreille. Dimanche, quoi."

"Il ne faut jamais me poser de question méchante
parce que ma réponse sera pire."

"Je suis forcée de lui offrir un cadeau
pour la remercier mais j'hésite
entre un bouquet et une hyène empaillée."

"On a une telle liste d'attente pour les stagiaires
qu'ils ont 45 ans quand ils commencent chez nous."

"Elle s'est acheté un manteau Chloé
tellement beau qu'elle le met tout le temps.
Elle fait ses réunions en manteau."

"Allô ? Oui bonjour Karl.
Oui très bien et vous ?"

"Tu veux un café ?
– Jamais. Enfin, je bois du cappuccino
mais seulement au Japon."

"Ma vie est un gif."

"Mais toi ils t'ont allongée avec Photoshop
sur la photo à Marrakech ?
– Ah non !
– Moi ils m'allongent toujours la sous-cuisse."

"Je déteste.
– Mais tu adorais ce matin !
– Oui ! Ce matin ! Et je ne suis plus la même personne !"

"Elle est gênante comme du turquoise
à un mariage."

"It's not about looking clean,
it's about acting clean."

"Mais tu me dis oui ou non ?
– Mais certainement ! L'un des deux."

"Non je ne signe pas d'autographe.
Je suis le coiffeur des stars,
mais je ne suis pas la star."

"We copied it from a belgium designer
but who cares ? It's not who did it first
but who pushed it the strongest
in the stores that matters."

"Je commence un nouveau traitement
par ondes, le mec ne te touche pas la peau
mais ton visage se retrouve comme si
on t'avait embaumée à 23 ans."

"Oh mince je déjeune avec Kristen Stewart
je vais devoir parler anglais."

"Tu dis pas bizarre tu dis hybride.
Tu dis pas lourd tu dis tellurique.
Et tu dis jamais moche."

"C'est notre nouveau sérum
Nude Air zéro matière à effet peau nue."

131

"Tu en as trop mis.
— De quoi ?
— De tout."

"C'est une très bonne cliente russe,
père au KGB, extrêmement riche,
pur produit de la kleptokratie.
Ou elle est suisse ? Je ne sais plus."

"Tu as accouché ? T'es contente ?
T'as vu, ça valait le coup de manquer
une saison de défilés, non ?"

"Je l'adore. Il pourrait vomir dans ma bouche."

"I love this moment before the show,
during the tenth sleepless night
when you feel complete."

"Mon assistant ne sait pas qui je suis."

"You have to come to Taiwan !
— I will ! I will !"
(les deux rivés sur leurs téléphones respectifs)

"C'était la cohue ce défilé.
Je pense que j'ai écrasé l'équivalent
de 250 000 euros de chaussures Saint Laurent."

"C'est quoi cette couleur ?
— Soja."

"Vous vous connaissez ?
— Non, on ne s'est jamais rencontrés
mais on s'adore."

"Je suis malade.
– Moi aussi, mais j'ai pris une grosse cuite
à la fête Vuitton hier, ça a éliminé les microbes."

"C'est quoi cette matière ? Ça gratte les yeux."

"J'essaie de décrocher un peu avec le travail.
Par exemple maintenant j'évite les mails après minuit."

"I love your embroidered sweater
but how do you wash it ?
– Oh you just don't wash it.
You don't wash fashion anymore !"

"Comment était le défilé ?
– Bof. Comme un réveillon de Noël
chez des végétariens."

"C'est le défilé qui m'a réconcilié avec tout.
– Ah je n'y étais pas.
– C'est pour ça que tu es encore en colère."

"Ils l'ont mise dans un placard doré.
Elle lit les dates et les noms des saints
dans son agenda Hermès et c'est tout."

"C'est un shampoo qui ne mousse pas.
On appelle ça du no-poo."

"Mon code Pin c'est Catherine Deneuve.
4 8 2 9. Trop pratique à retenir."

"Elle habite une de ces villes
qui sont marrantes pendant deux trois jours en août."

"J'étais hier soir à cette fête
où il y avait peut-être trois non-mutants."

"Tu préfères quoi ? N'avoir pas de cœur
ou pas de fesses ?"

"Je ne connais pas son nom
mais il a une tête à s'appeler Beige."

"En gros ils me proposent un CDI
mais pas payé."

"C'est quoi ton projet avec tes cheveux ?"

"C'est une robe que j'adore.
Je l'ai même portée deux fois."

"On dirait ma vie sexuelle."
(en regardant la circulation
sur la place de l'Étoile)

"Qu'est-ce que c'est ?
– Une bougie non parfumée."

"Je ne serai pas aux défilés
j'ai un plan cul en Autriche."

"C'est laid.
– Oui mais c'est intelligemment laid."

"Je me suis disputé avec tout le monde aujourd'hui.
– Avec tout le monde ?
– Oui, dans ma tête."

"Tu as l'air heureuse.
– Oui c'est cette nouvelle crème hydratante géniale."

"Je m'en fiche comme un poisson
d'une robe Versace."

"S'ils sont annonceurs,
tu enlèves les points d'interrogation.
S'ils sont gros annonceurs,
tu rajoutes des points d'exclamation."

"C'est pas blanc. C'est plâtre."

"Je suis allé à un défilé une fois.
C'est fou de mettre autant de moyens
pour faire un truc aussi chiant."

"C'était bien les vacances ? Beaucoup de pénis ?"

"Il est beau ?
– Il a 7 000 abonnés sur Instagram
avec vingt photos.
– Ah ok il est beau."

"Sa mère était une cagole à chewing-gum
goût fraise. Et elle, est une cagole
à chewing-gum qui blanchit."

"Il est vraiment sexe. Bon là il a mangé
un peu trop de dinde mais il est vraiment sexe."

"Et toi tu fais quoi pour déconnecter ?"
(sans écouter la réponse)

"Je ne suis pas physionomiste.
Je suis bien plus calé en mode.
Je reconnais les robes mais pas les têtes."

"Il a une maladie mentale qui fait
qu'il ne supporte pas l'imperfection.
– Ah oui moi aussi !"

"Elle m'a parlé de 'vraie vie'
alors qu'elle est complètement hors sol
depuis des années."

"Le mec que je trouvais mignon
vient de faire un twerk."

"Ma coiffure est bien mais dès l'atterrissage
au Liban elle sera horrible. Beyrouth est le pire truc
qui puisse arriver à des cheveux."

"Ce sont mes chaussures préférées.
Je ne peux pas marcher avec
c'est le seul défaut."

"Elle est marquise de la Relou."

"Abordable c'est comme portable, ça sert à rien."

"C'est quoi ton look ? Tu fais ta balade
autour de l'hôpital ?"

"Je suis un activiste du plaisir."

"C'était une bonne fête samedi ?
– Mes chaussures blanches sont noires."

"J'ai dû déménager de la rue du Bac.
– Ma pauvre.
– Oui trop de pâtisseries ouvraient
c'était horrible."

"Arrête tes jugements de valeur.
– Je bosse dans la mode je fais
un jugement de valeur à la minute
c'est mon talent je suis payée pour ça."

"Pour Noël, j'achète des cours de hiéroglyphes
à mon mec."

"Elle adore la randonnée.
Elle fait du sandalisme."

"Il a annulé toutes ses interviews
parce qu'il s'est fait une torsion des testicules.
Je ne t'ai rien dit, évidemment."

Saison 2015

"Bonne année !
– Bon plongeon dans une piscine vide à toi aussi."

"J'ai rêvé que tu te faisais écraser
par une affiche géante de J'adore."

"Je suis assez vieux pour écrire mes Mémoires
mais trop vieux pour me souvenir
de quoi que ce soit."

"Ah si ses doigts pouvaient parler."

"J'ai un nouveau médecin traitant génial,
j'ai eu le numéro par mes copines de chez Chanel."

"T'es à Paris. Pas dans tes rêves."

"Merci mais je ne peux pas manger
avec les manches de cette veste."

"Je ne suis pas une diva.
Nous vivons une vie ordinaire."

"Tu as des pellicules.
– Non c'est l'imprimé de ma chemise."

"Il a un interrupteur à intimité. En deux minutes
tu penses que c'est ton confident."

"Je veux me sentir comme le 1 %."

"Non c'est Julyen avec un y."

"J'ai besoin de faire un puzzle mille pièces."

"C'était le coiffeur des Daft Punk
avant qu'ils mettent des casques."

"Tu as regardé tes mails ?
– Je n'ai pas de mail."

"T'es toute belle ! C'est quoi ton régime ?
– La dépression.
– Ah super !"

"Il n'y a pas de couleur dans mon intérieur
parce que les gens sont la couleur de la pièce."

"J'ai vu Catherine Deneuve fumer sa clope
dans le restaurant alors j'ai allumé la mienne
mais moi ils sont venus me demander de l'éteindre."

"Tu as fait quoi ce week-end ?
– Je ne me souviens pas."

"Tu es belle !
– Ah non arrête c'est Zara."

"Tu étais très belle hier !
– Ah bon ? Pas aujourd'hui ?"

"En apéritif, nous dégusterons des tartelettes
de Doliprane."

"C'est pas de l'alcool, c'est du champagne."

"Tu as refusé le boulot ?
– Oui c'était sur la ligne 13."

"J'ai entendu 300 rumeurs sur Dior,
à la fin de la journée j'avais envie de leur crier,
mais de quel Dior tu me parles ?"

"L'inspiration c'est les années 60
mais pas les années 60 littérales,
plutôt les années 60 si elles n'avaient pas été
les années 60."

"Tu sais qu'il va y avoir des gens
en Balmain H&M dans nos vies
la semaine prochaine ?
Tu t'es préparé psychologiquement j'espère ?"

"Alors qui est ta target ce soir ?
– Tout le monde."

"Soirée Halloween affreuse.
Ceux qui n'étaient pas déguisés ressemblaient
à ceux qui étaient déguisés."

"On a fait nuit blanche à brainstormer
sur les boutons."

"Bon week-end ?
– Pas bougé, je suis devenu l'accoudoir
du canapé."

"C'est joli c'est quoi ?
– Le T-shirt ? Gap.
– Je t'envie. Tu as de la chance
de pouvoir mettre autre chose que du Céline.
Moi je peux pas."

"Anna Wintour a parlé du métro
dans son édito. L'anecdote datait de 1981."

"Je suis contente de vous rencontrer.
Vous êtes moins laid qu'en photo."

"C'est quoi son actu ?
– Pose d'anneau gastrique."

"Elle sort beaucoup. Elle s'habille en nappes
de chez Maxim's."

"Elle a un château d'amis."

"Tu sais, pour elle, le luxe c'est une soirée
où personne ne la prend en photo."

"Tu veux un cookie ?
– Non, je suis en Versace."

"On vous crédite comment ?
Maquilleur ou make up artist ?
– Je préfère qu'on écrive : Peau.
Tout simplement."

"Il pense qu'il est Kendall mais il est Caitlyn."

"Elle est riche, elle a un rire de riche."

"Un mec qui se casse au réveil, le rêve."

"C'était comment la soirée ?
– 800 iPhone allumés et deux it girls."

"On ne dit pas 'nœud', c'est négatif.
On préfère dire 'twin wings of freedom'
c'est plus positif."

"Elle a un corps de nuit. Le jour
elle n'est pas terrible mais après minuit
elle est sublime."

"Tu dis pas vendeur, tu dis partenaire client."

"J'adore aller au cinéma. Ça me change
des séries. Tu as la fin en deux heures !"

"Elle était belle à 30, magnifique à 40
et depuis, plus ça se creuse plus c'est chic."

"Elle dit 'je vais au Castel' et 'je vais
chez Flore'. On est désespérés."

"Je vis dans la bulle d'une bulle d'une bulle."

"Je suis outdoor designer.
– Jardinier de jardin ?
– Oui voilà."

"Il est pas mal mais il a un peu trop d'idées."

"À son école de mode les profs sont si méchants
que tu te demandes si ce n'est pas la méchanceté
qu'ils leur apprennent."

"J'ai rêvé de Gucci."

"Tu penses que je suis créateur
mais je suis un conteur d'histoires."

"Notre redchef porte toujours la même chose.
On ne sait plus si c'est une chemise
ou un corail."

"Bonjour ma chérie c'est quoi ton prénom déjà ?"

"Vous dessinez des silhouettes ?
– Non. J'écris un mot de temps en temps
sur un post-it pour le studio."

"Je vous connais non ?
– Non je ne crois pas.
J'étais dans une vidéo virale
il y a deux ans c'est peut-être ça."

"Alors c'était comment ? Raconte-moi
un max de détails, j'y étais pas
mais je dois faire un papier."

"Comment tu fais pour que ton blanc soit
si blanc ?
– Je lave en Ardèche : il y a moins de calcaire
et ça ressort éclatant."

"Mon assistante a perdu le sac fantastique
que vous m'aviez offert. Il vous en reste ?
Je l'aime tellement."

"Je voudrais vivre une histoire d'amour
avec un stagiaire de chez Vêtements, un truc pur."

"Je me sens vide.
– Ça ne m'étonne pas."

"Elle est née extra-muros.
Elle a été élevée par des loups."

"Elle s'habille en Dior de chez Zara."

"Vous pourrez lui poser des questions demain
mais venez en noir pour ne pas déranger
le processus créatif."

"C'était bien Madrid ce week-end ?
Tu as fait quoi ?
– Très bien. J'ai lu l'annuaire avec mon cul."

"Il est très bien entouré mais c'est l'entourage
de son entourage qui craint."

"C'est une mannequin croatienne."

"Elle s'habille n'importe comment !
– C'est son métier."

"Elle a les mêmes fesses que Kim Kardashe,
mais sans les millions de followers
franchement ça sert à rien."

"Tu préfères crevette, porc ou bœuf ?
– Ça dépend, tu parles de nourriture ou de mecs ?"

"Le langage c'est pas son truc."

"L'autodérision c'est le plus important.
Tout le monde est tellement sérieux.
Ils sont sérieux même dans leur lit."

"Elle est égérie ou ambassadrice ?
– Son statut officiel c'est 'Fidèle de la Maison'."

"Je m'ennuie. C'est pas moche
mais je m'ennuie. Je m'ennuie beau."

"J'adore l'énergie de ta robe."

"Elle est triste comme une journée
sans logo Chanel."

"Allô ? Oui j'ai bien reçu la robe en cadeau
merci beaucoup mais vous avez oublié
d'enlever le bip antivol de la boutique."

"Anna exige des réunions à deux personnes
maximum et pas plus de dix minutes."

"Je la touche ! Je la touche !
JE LA TOUCHE !" (en touchant Rihanna)

"J'ai oublié de t'envoyer des fleurs
mais tu vois l'idée."

"Le service marketing vient de prendre
le pouvoir. Ils vont pouvoir rebaptiser
la marque : Panique."

"Sorry but who is the guy
I just introduced you to ?"

"C'était beau et j'ai snapé. Je suis sortie
avec toute la boutique dans des sacs.
Mais sans leur éclairage c'est pourri et j'ai tout rendu."

"J'adore les ronds. Ma mode est remplie
de ronds. J'aimerais que quand on voit
un rond on pense à moi."

"Il est doux comme un 69 avec un vison."

"J'ai eu une invitation avec écrit
'accès front row'. Je suis premier rang ?
– Non mais tu as le droit de filmer
le premier rang."

"Je ne sais pas pourquoi ils l'invitent,
elle n'arrive même pas à 2 000 likes par photo."

"J'ai rêvé que je mangeais."

"Tu portes quoi ?
– C'est une soie de 1910.
– Comment ça se lave ?
– Ça ne se lave pas ça s'aère."

"Elle fait tous les dîners mode caviar.
Quand elle vomit c'est noir."

"On peut faire l'interview post-défilé
avec le créateur ?
– Ah ce serait avec plaisir mais il est parti."

"Il était presque normal après la détox
et on y a cru, mais là Satan est revenu."

"C'était comment la musique du défilé ?
– Anniversaire d'un gosse de riche de six ans."

"J'aurais pas dû coucher
avec mon prof d'histoire du meuble."

"Elle est importante. Elle a un Samsung crypté."

"Tout est devenu trop chic.
J'ai faim de vulgarité."

"L'inspiration c'est un sac-poubelle mais élégant."

"Elle a mis la gomme sur le lift
qu'elle a fait en Corée. Les douaniers
ne l'ont pas reconnue sur le passeport."

"J'ai bu un champagne Redbull
avec Philipp Plein. C'était horrible.
C'était génial. C'était horrible."

"Tu dis pas pouffe tu dis libre."

"T'as des enfants toi ?
– Oui, une ou deux filles."

"J'ai pas bu d'eau depuis très longtemps."

"C'est la contradiction entre le passé et le présent."
(pour expliquer un imprimé losange)

"*Vogue* pour moi c'est un album de famille."

"L'inspiration c'est les 600 dernières années."

"C'est un artiste. J'aime assez son travail
mais son Instagram est mieux."

"Me fais pas rire ça fait des rides."

"Kanye a appelé pour venir au défilé avec Kim.
On a dit non pas Kim c'est pas notre image
alors il est venu et l'a laissée dans la voiture."

"Je veux avaler la beauté."

"Le défilé Givenchy était très beau.
C'était un hommage aux victimes du 9 septembre."

"Tu veux pas du champagne ?
J'ai envie de champagne.
– Là, un lundi ?
– Mais non on est vendredi ! T'es sûr qu'on est lundi ?"

"Elle est ultra charmante.
On dirait une attachée de presse de marque
qui n'est pas annonceur."

"C'est superblime."

"Je ne sais pas ce que vous faites là
je ne donne plus d'interviews."

"L'inspiration c'est la banane,
des choses qui s'épluchent du corps."

"Tu as fait quoi cet été ?
– Du camping. Quelque chose
de très déconnectif."

"Avec cette règle de courtoisie qui m'interdit
de coucher avec tes ex, il ne reste plus
personne de dispo pour moi dans cette ville."

"Tu dis pas blogueuse
tu dis créatrice de contenu."

"J'adorais il y a 30 secondes mais j'aime plus."

"Pendant les défilés tout s'accélère.
Chaque jour dure une heure.
Quelle heure est-il ? Mardi."

"Elle est géniale. C'est dommage que j'aime pas
ce qu'elle fait."

"C'était la pire 1re d'atelier. Si je sursautais
à cause d'une épingle, elle disait
tu vas savoir pourquoi tu cries
et elle me piquait."

"Les restaurants sont vides.
– Je sais, tout le monde est à New York."

"Ok pour l'interview mais dans cinq saisons
quand il sera prêt. C'est de l'humilité,
pas de la prétention tu comprends."

"J'étais ce matin vers 8 heures dans la rue
et il y avait un monde fou !
Les gens se lèvent hyper tôt en fait. J'hallucine."

"Tes cheveux sont horribles.
– Oui je sais.
– Non mais vraiment horribles."

"C'est une très bonne amie.
– Quel est son nom de famille ?
– Je ne sais pas."

"C'est quoi cette couleur ?
– Violet humide."

"Tu dis pas rose tu dis grenadine claire."

"J'ai envie d'un parapluie Hermès.
– J'ai besoin d'un parapluie Hermès."

"C'était il y a 40 ans, en 1997.
– 1997 ce n'était pas il y a 40 ans.
– Bien sûr que si."

"Je suis au boulot.
– Mais il n'y a pas grand-chose à faire en août, non ?
– Je m'écris des emails pour faire semblant
de travailler."

"Ne me regarde pas, j'ai fait un long dialogue
avec des pommes de terre cet été."

"Elle est tellement riche
qu'elle ne rougit plus jamais."

153

"Je l'adore. Mais c'est vrai
que j'ai une résistance incroyable à l'ennui."

"Where is the Cannes film festival this year ?"

"Elle a perdu toute notion de réalité
de l'épiderme."

"La soirée était bien ?
– Elle a commencé quand tu es arrivé."

"Si tu vas à Vienne je connais
un super appartement Airbnb
tout près de chez Michael Haneke."

"T'es au courant ? C'est énorme !
– Mais quoi ?
– Tu ne sais pas ? Ah non je ne serai pas celui
qui te l'apprendra.
– Mais quoi ?
– Non rien."

"Elle est de très bonne humeur dès le réveil.
C'est un monstre."

"Je suis bronzé comme un finaliste
de 'Secret Story'."

"Le seul mot d'italien que connaissait
Liz Taylor c'était Bulgari."

"J'adore cette mannequin.
On dirait qu'elle va parler."

"Mais pourquoi tu m'as pas dit ?
– Je suis en train de te le dire."

"Je voudrais faire une sieste et me réveiller
il y a deux semaines."

"T'as réservé la plage pour demain ?
– On est sur liste d'attente."

"Heureusement que les vacances
se terminent bientôt, je vais pouvoir me reposer."

"Qu'est-ce que tu as rien fait aujourd'hui ?"

"Je déteste le sable."

"C'est noir foncé."

"Ça va tes vacances, pas trop génériques ?"

"On a joué à quelle mannequin es-tu ?
Je te dis pas le stress."

"Lâche-toi. Tu n'es plus à ça près.
Éclate-toi avec tes démons."

"C'est du brouillard ou de la pollution ?
– Aucune idée."

"On peut coucher sans fréquenter ?
– Oui ça s'appelle les vacances."

"Je me sens inutile comme un panneau
'attention aux pickpockets'
dans une backroom."

"On est sur un bateau. On n'a pas de réseau
mais la Lune est sublime. Ça me console presque."

"Tu sens bon. Tu sens le soleil."

"Tu as une agressivité au bonheur qui me plaît."

"T'as l'air épuisé.
– Oui je suis en vacances."

"Hello, could you give me the password
for the wifi of the beach please ?"

"Je pensais que tu étais au cinéma ?
– Oui j'y suis allé mais ça captait pas
alors je suis rentré."

"C'était une fête surpeuplée. Il n'y avait plus
de verres. Je buvais dans un vase."

"C'est un dermatologue non invasif."

"C'est un sac à main qui dit j'encule la planète."

"Dans son rapport, la stagiaire parle de nous
comme d'une machine à remonter le temps."

"On devait parler de boulot, mais il n'a parlé
que de ragots, et des ragots sur lui en fait,
il s'autocommère."

"Elle est importante dans la mode.
C'est la chiffongentsia."

"Elle adore le mobilier design.
Elle ne pose son cul que sur des chaises célèbres."

"Elle se maquille comme un klaxon."

"Je vais en vacances au sud de la vulgarité."

"Sa villa est bien mais elle chauffe trop
sa piscine."

"J'ai lavé mon T-shirt Prada à 90 degrés
c'est devenu un T-shirt Miu Miu."

"Cette crème contient de l'extrait de racine
d'or et procure une hydratation intense et
continue pendant 30 heures."

"Franchement, faire autant de gym
pour s'habiller comme ça, autant ne rien faire."

"Si Hedi Slimane l'a jamais fait on a l'air con
et s'il l'a fait on est trop tard."

"Quand le soleil s'est couché, un énorme logo
ETERNITY de Calvin Klein
est apparu à l'horizon. C'était parfait."

"Si tu reviens de tes vacances
avec le portable même pas cassé
ça signifie que c'était pas terrible."

"Ils font combien tes talons ?
– C'est pas des centimètres, c'est un style de vie."

"On ne discute pas de politique, de religion,
ni de la dernière collection homme de Gucci."

"C'est quoi le protocole quand tu vois quelqu'un
qui débarque avec un nouveau nez ?
Tu félicites ? Tu ne dis rien ?
– Tu ne dis rien."

"Elle est où est l'émoticône Chanel ?"

"Elle n'est pas très photogénique
mais c'est normal, on ne peut pas
bien photographier un drame."

"Elle va au McDo s'acheter des pommes
en tranches. Tu imagines le monstre
qu'il faut être pour faire ça ?"

"Elle est collante comme si
elle n'avait pas d'ego.
Hier j'avais son dentier qui mordait
ma cheville elle ne me lâchait pas."

"Il a une entreprise de démolition de cœurs."

"Le gel que tu m'as filé à la gay pride
est une merveille. Je me suis bloqué le dos
le soir même."

"Je sais pas si elle sait lire
mais elle est un poème."

"L'inspiration c'est un garçon sans amis,
dans sa chambre."

"Elle est hilarante.
Le problème c'est qu'elle ne le sait pas."

"Oh regarde, un drone !
– Non c'est un oiseau."

"Tu préfères le sexe ou les réseaux sociaux ?"

"Ah non il ne faut surtout pas y aller en août
c'est super vulgaire c'est rempli de Français."

"Elle n'est pas très discrète.
Elle a appris à murmurer dans un hélicoptère."

"Oui je regarde Grindr mais t'inquiète pas
je t'écoute."

"Un petit-four monsieur ?
– Qu'est-ce que c'est ?
– Des hot dogs au caviar."

"C'est une manucure géniale.
Au moment du grunge
c'est elle qui faisait le mieux la terre
sous les ongles pour les mannequins."

"Elle est mytho au point que connaître
son existence fait de toi un mytho."

"C'est une collectrice d'art."

"Tu ne fais pas ton âge.
– Je n'ai pas pris de drogues
pendant des années c'est pour ça."

"La musique du défilé était ce qu'écoute
le dentiste du Diable."

"Attention le sol est glissant
à cause du champagne."

"Tu n'as pas chaud dans ta robe en tweed ?
– C'est pas une robe, c'est un régime."

"Je suis parti de la fête
quand il n'y avait plus de tonic."

"Miuccia Prada est la reine du contre-intuitif."

"Vous auriez du ketchup naturel ?"

"Pourquoi faire simple
quand on peut faire mieux ?"

"Y a Kate Moss qui te cherche
elle est au fumoir."

"Il a plein d'idées mais aucune n'est la sienne."

"Oh tu me connais plus
c'est absurde mieux c'est."

"Hier j'étais coincé dans l'Eurostar
sans climatisation, j'ai cru qu'ils essayaient
de faire des frites avec nous."

"Elle a une terrasse de 100 mètres carrés
qui donne sur la tour Eiffel mais franchement
son quartier est pourri."

"Ah non tu ne mets pas des chaussures blanches
avec un T-shirt blanc, ça fait coton-tige."

"Proust ? The most I read him is every month
on the last page of *Vanity Fair*."

"La soirée était tellement bien que personne
n'a eu le temps de faire une photo."

"Je pars en vacances dans dix jours !
Plus que deux collections à rendre !"

"Sa biographie tient en 4 émoticônes."

"Les plombs de sa pudeur ont sauté
il y a bien longtemps."

"Tu vas où cet été ?
– Liban.
– Clinique ou vacances ?"

"C'est un vêtement qui a été dessiné
sur logiciel, aucun volume, tu as l'air plate
comme l'écran sur lequel on l'a conçu."

"Si ça existe déjà ça ne m'intéresse pas."

"Can you teach me how to cry in italian ?"

"Ça doit être dur de connaître le sommet
de ta carrière à 25 ans et d'avoir 26 ans."

"C'est l'éternel problème : pourquoi porter
des fringues moches ?"

"Tu fais quoi pour tes trente ans ?
– Et toi tu refais quoi pour tes quarante ?"

"C'est quoi l'inspiration ?
– Wikipédia."

"Avec elle, Racine c'est chez le coiffeur."

"Ma nouvelle assistante vient du xxxve siècle."

"C'est dur de rencontrer quelqu'un
à mon niveau créatif."

"On a besoin d'une célébrité Périscope
pour notre plan média."

"J'ai géré le casting toute la journée,
j'avais envie de leur jeter des burgers à la figure."

"Mais pourquoi tu ne fais rien ?
– Parce que la technologie pour faire
ce que je veux faire n'existe pas encore."

"Faut que tu intègres le mot love
dans ton vocabulaire. Je sais t'es parisienne c'est dur."

"Vous n'avez pas répondu à mon mail
sur notre nouveau sac en veau précieux."

"C'était comment le défilé ?
– Banal with a twist."

"Je voulais une nouvelle perspective
sur le costume masculin alors on a posé
la veste sur les épaules."

"J'étais à son enterrement. Il n'y avait
que des princesses italiennes et des masseurs."

"J'ai 55 ans et je cherche un mec de mon âge.
Sauf que les punks sont tous morts,
il ne reste que les golfeurs."

"Je l'adore. Mais je te préviens
elle ne parle que de dermatologie."

"Je me sers de mon iWatch comme minuteur
pour les cookies c'est super."

"On va se baigner ?
– Non elle est trop chaude."

"Humainement, elle est un selfie stick.
– Physiquement aussi."

"Elle ne ressemble pas du tout à sa mère.
– Normal, chirurgiens esthétiques différents."

"Ma boss vient de me donner 200 euros
pour que j'aille 'm'acheter une bière'."

"Il est infiniment inutile et infiniment pénible.
Il est la poussière dans l'œil de la boîte."

"C'était l'année dernière." (pour décrire tout événement
d'il y a plus de deux semaines)

"Tu as aimé le défilé ?
– J'ai détesté tous les passages un à un
mais j'ai adoré l'ensemble."

"Elle s'ennuie vite. Je lui organise
des rendez-vous de 8 à 12 min.
L'idéal serait 4 min avec des gens
qui disparaissent comme sur Snapchat."

"Il a organisé une belle fête pour l'ouverture
de sa nouvelle boutique à Saint-Tropez.
– Il y avait qui ?
– Lui."

"T'es sexy ce matin,
on dirait l'Abbé Pierre jeune."

"Celui qui a créé l'ombre c'est un génie."

"Il faut que tu nous dessines 15 propositions
de jupes pour demain.
– C'est quoi le brief ?
– Je n'ai pas le droit de te le dire."

"Il y a eu combien d'heures de travail
pour sa robe de mariée ?
– Une demi-heure."

"T'es un trou noir d'énergie. Tu prends tout
et tu rends rien."

"23 ans c'est le nouveau 33 ans.
Et inversement."

"Elle habite où ?
– Devant un miroir."

"Tu t'es maquillée en téléphonant
de l'autre main ?"

"Il est multilingue : il sait dire vodka Redbull
dans toutes les langues."

"Je ne pourrais pas me le taper. Il est solaire.
Il allume la pièce. Mais je suis belle
dans la pénombre moi."

"L'amour c'est dîner sans portable sur la table."

"Mais non tu comprends pas
c'est une pub pas commerciale."

"Elle a les cheveux trop noirs
et la bouche trop rouge, elle ressemble
à un barbecue."

"How old are you ?
– My spirit is now."

"Il parle tout le temps. Tout le temps.
J'ai jamais vu quelqu'un d'aussi spammy."

"Au bureau elles ne mangent que des sushis.
On les appelle les sushettes."

165

"J'adore ta robe, ne la rends pas."

"Ma théorie c'est qu'il s'habille en vêtements
pour chiens."

"J'ai fait un dîner avec elle, elle ne parlait
que de filtres et de likes,
elle est complètement Instacentrique."

"Elle est froide et vide comme une boutique
de luxe italienne."

"Elle dit miam miam avant de prendre
un Stilnox."

"Je cherche un jean qui donne un air triste
et sexy."

"Habille-toi pour le mec que tu veux,
pas pour celui que tu as."

"Tu dis pas débile tu dis génial."

"Je ne lis pas de livres
ça pourrait m'influencer."

"Les gens sont moches.
– S'ils étaient beaux ils n'auraient pas besoin
de nos fringues."

"J'ai acheté cette maison de campagne
pour la vue mer imprenable.
Je suis du signe du poisson donc j'adore la mer."

"Ah non j'ai pas vu ce défilé Valentino,
il y avait trop de photographes devant,
j'ai mis deux heures à poser
et j'ai loupé le truc."

"T'es du 15ᵉ arrondissement ?
– Oui comment tu sais ?
– Je t'ai reconnu à l'accent."

"Ton glamour c'est ma spontanéité."

"Tu dis pas vulgaire, tu dis élégance disruptive."

"Qu'est-ce que tu voudras faire
quand tu seras grand ?
– Rien."

"Il a les mains prises par ses téléphones
alors il éduque ses enfants avec les pieds."

"J'ai couché avec pendant les défilés
de Londres mais le lendemain matin
il m'a demandé une invitation pour Burberry.
– Famine…"

"Gisele Bündchen a sauté sur Zaha Hadid
pour papoter mais 220 Coréennes en Chanel
hurlaient autour, c'était la selfiecalypse."

"Ma vie est tellement excitante et trépidante
que j'adore te voir le week-end,
ça me fait un peu de normalité."

"Je voulais être architecte mais ça prend
trop de temps de faire une maison
alors je fais des fringues c'est plus rapide."

"C'est elle.
– Qui ça ?
– C'est elle.
– Où ça ?
– C'est elle, CL. C'est une célébrité coréenne
qui s'appelle CL."

"Sexuellement je m'ennuyais.
Il était une seule nuance de gris."

"La joie simple elle connaît pas.
Elle n'aime que les joies compliquées."

"Je n'ai pas lu ton livre mais la couverture
est très jolie."

"La mode sans la fatigue, c'est pas de la mode."

"Ce n'est pas un has been mais un never was."

"Aujourd'hui elle est venue avec la peau nue au bureau."

"J'ai voulu construire une maison
avec Tadao Andō. Mais à chaque fois
on m'a refusé le permis.
J'ai acheté trois terrains sans succès."

"J'ai très envie de me faire
un jardin des poisons.
Uniquement des plantes venimeuses."

168

"Petite, elle avait des fresques de Tiepolo
dans sa chambre mais elle n'aimait pas,
elle mettait des posters dessus."

"L'anecdote est bien donc je me fiche
si elle est vraie."

"J'ai une passion pour les hamacs.
Il devrait y avoir un mot pour ça."

"Donatella me parle sur WhatsApp.
Sa photo de profil c'est son portrait
par Helmut Newton."

"Il était artiste mais le pauvre il est devenu
une planche à billets. C'est terrible
quand ça t'arrive de ton vivant."

"Le brief du maquillage sur le défilé
c'était fille qui a oublié son digicode."

"C'était une fête géniale, tu sentais
que tu étais à Paris, mais pas cette année."

"On ne vend que 15 000 exemplaires
de notre magazine, mais à des EIP.
– EIP ?
– Extremely Important People."

"Elle a été célèbre quinze secondes.
– Comme tout le monde."

"Je suis consultante d'intérieur."

"Bonjour, je voudrais un thé
mais pas trop chaud."

"Je suis incapable de me concentrer
hors de mon téléphone. Envoie-moi des textos
si tu veux que je t'écoute."

"Si c'est pas compliqué j'en ai rien à foutre."

"Elle fait quoi dans la vie ?
– Semblant."

"Donne-moi trente secondes,
je dois écrire l'édito de la semaine."

"C'est tellement moche
on dirait une fringue de l'an prochain."

"Mon travail c'est créer le déclic tu comprends."

"Nos bureaux sont en face d'une boutique Céline
je te raconte pas la torture."

"Tu dis pas méchante tu dis vice president
of global communications and marketing."

"On vivait entre nous,
on pensait être importants."

"T'as été sage ?
– Écoute, c'est Berlin, pas Porquerolles."

"Ce qui est important en grandissant,
c'est de garder ton pessimisme intact."

"Tu me rappelles moi quand j'étais belle."

"What's the french sentence I should know ?
– 'Tu as parfaitement raison.' If you say that,
they will love you."

"Elle est complètement géniale
mais il ne faut pas la rencontrer."

"I don't walk, I shop."

"Tu devrais acheter. L'argent n'est pas cher
en ce moment."

"Je voudrais être une cagole.
La vie serait plus simple.
– Encore plus cagole, tu veux dire ?"

"Arrête de te plaindre. Tu sais,
Cara va à New York trois fois par semaine."

"Rassure-moi je fais une parano fesses."

"Elle a pris la tête au stagiaire
pour qu'il l'aide à choisir dans laquelle
de ses maisons de vacances aller ce week-end."

"On dîne où ?
– Ce restaurant dans le 8ᵉ.
– Ah non le 8ᵉ c'est loin de tout !"

"Elle est son attachée de presse.
Elle raconte encore l'histoire de la fois
où il a été gentil avec elle. L'anecdote a 15 ans."

"Attends je regarde le coucher de soleil
sur Skype avec un pote qui est au Sri Lanka
et je te rappelle."

"Je n'achète pas d'habits. On me les envoie."

"Je ne sais pas coudre.
Pour ma première collection j'utilisais
du scotch double face pour les ourlets
et après j'ai créé des emplois."

"Tu es sur Tinder ?
– Non. Tu sais, j'ai plutôt besoin
d'un chasse-neige à mecs."

"Le monde extérieur est si violent
que j'ai besoin de beige."

"Il vient d'où Kanye West ? Chicago ?
– Du défilé Balmain."

"Il devrait y avoir une loi
contre les souliers jaunes."

"Le défilé était génial.
Ses stagiaires ont un talent fou."

"C'était une fête photododo.
Tu entres tu fais la photo tu rentres dormir."

"Elle respire la mode pas la santé."

"Je viens de casser un vase à dix mille.
– Ça porte bonheur."

"Je la supporte pas j'y peux rien
c'est un réflexe darwinien."

"C'est quoi comme tendance ?
– Stupide."

"Sa vie c'est entrer dans l'ascenseur,
appuyer sur 1 et se regarder dans la glace
en attendant."

"N'achetez surtout pas dans le Marais
c'est hyper inondable !"

"Naomi a poussé Cara qui a voulu arracher
la perruque de Naomi mais elle était
trop bien scotchée et rien n'a bougé."

"Tu dis pas répétitif tu dis fidèle à l'ADN
de la maison."

"J'ai dîné avec Kim Kardashian,
disons qu'on a très peu de sujets en commun."

"Tu dis pas chiant tu dis sublime."

"Il y a tellement de gens de la mode
dans le restaurant qu'on mange
dans le sommaire de *Vogue*."

"C'est le pouvoir de légendarité de la mode.
Ça se dit, légendarité ?"

"Oh j'ai mangé ce midi. Tant pis."

"Tu me diras quand il faut que je décroche de ce métier."

"C'était pas raté mais c'était pas réussi."

"J'ai trop d'idées que j'en dors pas."

"Je fais quoi avec tous les bouquets ?
– Prends-les en photo avec le carton
et je remercierai après."

"Je ne suis pas snob je suis parisienne
il y a une toute petite nuance."

"Monsieur Arnault arrive à 13 h 15
le show commence à 13 h 20."

"Elle facture ses sourires."

"Je suis épuisée, je ne suis qu'un hologramme
de moi-même."

"Tu fais quelles soirées ce soir ?
– Toutes !
– Ah c'est vrai tu n'es pas invité
chez Céline demain matin."

"Une fois je me suis changée six fois
dans la journée alors les médias ont dit
que c'était trop."

"Qui était à ce défilé ?
– 50 % de blogueurs.
– Et le reste ?
– Des blogueuses."

"Paris est une fête. Paris est une gueule de bois."

"Ils lui rallongent à ce point les bras
sur les photos que je ne l'ai pas reconnue en vrai."

"Il a zéro goût zéro tabou il ira loin."

"C'est insupportable la célébrité.
J'ai plus de quotidien."

"C'était bien c'était pas poétique j'en ai marre
de la poésie."

"Ce sont des robes qui murmurent.
Il y a trop de robes qui crient."

"The sky is pas la limite."

"Tu dis pas une robe banale tu dis
un vestiaire fonctionnaliste."

"C'est quoi ce gris ?
– La rigueur."

"L'idée c'était une femme
qui vient d'être frappée par la foudre."

"Tu es très belle aujourd'hui.
– Merci, mais tout le mérite est aux machines."

"C'est notre égérie.
– Nous aussi.
– Elle a été sympa sur la séance photos ?
– Non. Elle n'a plus trop le temps
d'être sympa."

"Je porte du noir mais je bois du blanc."

"J'espère que je crèverai avant l'Apocalypse.
Je ne veux pas voir le truc en cendres et tout.
Trop lourd, tu vois ce que je veux dire."

"T'imagine être la psy de Kim Kardashian ?
– On est un peu tous la psy de Kim Kardashian."

"Chez elle c'est un musée H&M."

"C'est marrant qu'elle ne réalise pas
que son gros sac à main informe en serpent
est une métaphore d'elle-même."

"J'ai pas mon téléphone avec moi,
je l'ai laissé au chauffeur pour qu'il le recharge
dans la voiture en tournant dans le quartier."

"J'étais au second rang chez H&M
mais je suis au premier rang chez Dior.
– C'est le dieu de la mode qui joue avec ton ego."

"Je déteste le blanc."

"Passe-moi le champagne pour rincer
le foie gras s'il te plaît."

"Il y a trois lieux de convivialité dans vos vies :
chez vous, au travail, et notre but
est que le troisième lieu soit nos boutiques."

"He's like Tom Ford in 1999."

"J'ai mangé des coques hier. Pas le mot anglais."

"C'est quoi ce monde où tu peux pas dire
ce que tu penses de la couleur des jupes ?
La liberté d'expression sur le futile,
on est à zéro."

"C'est du vison naturel."

"T'as fait quelle école ?
– Tumblr."

"Chez elle les murs sont blancs
avec des plinthes noires, pour faire
comme les emballages du Numéro 5 de Chanel."

"Elle est insouciante.
– Elle est 12 novembre."

"Je suis un peu à bout.
– Prenons un verre on va se comparer
nos bouts."

"J'ai pas l'air gros à côté du sapin de Noël ?"

"Je vais mieux. J'ai fini par comprendre
que j'étais celle que j'attendais."

"Elle m'adore. Je pense qu'elle me confond avec
quelqu'un d'important."

"C'est un hommage à Colette
et à son écriture." (à propos d'un thé)

"Ça me rappelle la fois où j'ai nettoyé
la salle de bains moi-même."

"Chut, j'écoute l'arbre."

"Joyeux Chanel !"

Saison 2016

"On est en Pétage de Plombs Permanent."

"Tu ne dis pas que tu as perdu un truc,
tu dis qu'il a été préempté par le temps."

"Regarde ! Une mannequin qui mange !
Filme-la !"

"Je m'habille de la façon la plus ennuyante
possible pour ne pas me faire photographier
par les hordes devant les défilés."

"C'est un collectionneur. De portraits de lui."

"Ces gens-là ne vivent pas, ils instagramment."

"Rome et Hermès ne se sont pas faits
en un jour."

"Il a demandé à ses assistantes de dormir
dans les vêtements de la collection
pour leur donner un aspect usé."

"Je viens de me casser le pied
contre une caisse de Ruinart qui traînait
chez moi."

"Ils viennent du monde entier au Trocadéro
et ils tournent le dos à la tour Eiffel
pour faire des selfies."

"Tu vois comment les Mercedes ne cèdent jamais
le passage ? Eh bien elle est une Mercedes."

"Elle est super simple, elle sort au restaurant
en jean et T-shirt, sans sac sans bijoux,
avec juste un garde du corps."

"Ah c'est toi ! Pardon je t'ai pas reconnue
sans tailleur Chanel."

"Géographiquement, pour elle la Bulgarie
se situe place Vendôme."

"Son visage ressemble à un canapé
Chesterfield orange."

"Elle confond ses robes avec la réalité."

"J'ai refilé la mission à un de mes stagiaires
mais je ne sais plus lequel."

"C'est quoi l'inverse de profond ?
– Pas profond."

"Elle a 40 ans mais elle est belle."

"Tu dis pas elle a mauvais goût,
tu dis elle n'a pas les codes, elle est touchante."

"Elle s'est fait son lifting toute seule ?"

"Il est complètement nul mais son truc
c'est de décaler le rendez-vous dix fois.
À la fin tu as l'impression de rencontrer
le Messie."

"Tout le premier rang avait la tête
de Jennifer Lawrence. Il y a un chirurgien
qui a vendu le moule."

"Je suis sidérationnée."

"La nouvelle insulte c'est 'c'était frais'."

"C'est la troisième collection
que je présente depuis le début de l'année
et j'en ai trois autres
d'ici la première semaine de mars."

"Elle est pas hystérique,
elle est soucieuse de son image."

"En quoi consiste votre métier ?
– Je tiédis les bijoux avant que les clientes
ne les essaient."

"Mais d'où vient sa fortune ?
– Elle touche des droits d'auteur
sur la vulgarité."

"C'est quoi cette veste ?
– C'est du Balmain mais léger."

"C'est quoi ton adresse postale ?
– Oh je voyage beaucoup le plus simple
c'est d'expédier chez Gagosian à New York."

"Il a mille attachés de presse
mais il est resté super accessible."

"Mon verre est vide tu me passes le tien ?"

"C'est un couple mythique.
Comme Yves Saint Laurent et Michel Berger."

"T'es belle !
– Oh tu sais c'est juste des os et de la peau."

"Pardon tu peux répéter ? Je n'ai pas
bien compris avec le bruit de tes bracelets."

"Tu viens de mettre la main sur un cul
que tu n'auras jamais."

"Elle est un chouia très vulgaire."

"Je te jure que c'est vrai.
C'est Kim Kardashian qui l'a dit
à Olivier Rousteing qui me l'a dit."

"Elle a une beauté Snapchat,
il ne faut pas la regarder longtemps."

"Oh tu sais je ne vis pas dans le vrai monde
alors mon analyse à moi…"

"Je n'ai pas de clés. Personnel de maison
vous comprenez. Et tant mieux,
je les perdrais."

"Tu veux un jus détox ?
– Non je vais prendre une bière je veux pas
perturber mon organisme."

"C'est une VIP importante."

"C'est un gris oxygène."

"Qu'est-ce qui la fait rire ?
– Quand les mannequins pleurent."

"Oui il est complètement dingue
mais le jour où tu devras dessiner 600 robes
par an tu seras zinzin toi aussi !"

"Tu t'es blessée à la main ?
– Oui. En ouvrant les invitations
pour la Couture."

"Comment on dit wardrobe en français ?
Le dressing ?"

"Et si on la faisait tout diamant ?
– Pas con."

"T'as un rhume ?
– Non j'ai avalé une plume."

"Merci so much !"

"Tu dis pas déjà vu
tu dis complètement tendance."

"C'est un livre rapide à lire,
parfait pour le Paris-Milan."

"Il est baroque. Chez lui quand la robe arrive
au bout du podium, la traîne n'est pas encore
sortie de la coulisse."

"L'avantage pour lui d'être aussi con
c'est qu'il ne le sait pas."

"Je te dérange ?
– Non ça va. Je pensais à Prada."

"Je le déteste comme des nuages un dimanche."

"Paris est mon catwalk."

"L'inspiration c'est les dieux grecs.
– Pour la chaussure blanche ?
– Oui."

"Elle lit sur du papier."

"Elle travaille énormément.
– Tu confonds travail et névrose."

"C'est qui le photographe ? Brice Weber ?"

"Mes chaussures ont des pouvoirs magiques.
– Pas vraiment, on te voit encore."

"Ah tu as du gras là, toi ?"

"Elle est sympathique mais elle a un physique
un peu mass market."

"Il te va bien ce pantalon. Tu l'as trouvé où ?
– Merci. Je ne sais plus si c'est H&M ou Dior."

"C'est une semaine à sept lundis."

"Être bien ne suffit plus. Il faut que ça démode
tout le reste."

"Tes chaussettes sont belles.
– Elles sont chaudes et légères.
– Comme toi."

"C'était tellement génial que je ne me souviens de rien."

"Versace c'est mon Damart.
Je me sens chaude dedans."

"Ta peur de l'échec t'empêche d'avoir des succès."

"Elle prend des Uber pour aller acheter le pain."

"Je m'ennuie comme une orchidée blanche
dans une bijouterie."

"Mon mec a fait un mémoire sur la MD."

"Je ne suis pas parfaite mais je préfère
prendre le bonheur que la beauté."

"Tout est en train de changer."

"Tu ne dis rien ?
– J'ai un long fou rire intérieur."

"Tu as une énergie incroyable !
– Je suis comme tout le monde tu sais.
De la mise en scène et de la souffrance."

"Non mais je suis en Miu Miu
de l'année dernière ne me regarde pas."

"Elle habite au Château Monologue."

"Il fait les mauvais choix au mauvais moment
pour les mauvaises raisons.
C'est pour ça qu'il est toujours en avance
et complètement génial."

"Il est beau comme une Ferrari au soleil."

"Je ne suis pas littéraire,
je ne suis pas scientifique, je suis mode."

"T'es belle.
– Pas plus que d'habitude."

"C'est vraiment trop dur d'écrire à la main,
il n'y a pas de correcteur d'orthographe."

"Il t'adore.
– Oui je ne lui ai pas laissé le choix."

"J'ai un besoin phénoménal de m'en foutre."

"C'est un rouge à lèvres qui s'appelle Apocalips."

"J'ai reçu un coup de fil d'un numéro en 01.
J'ai failli ne pas répondre mais je me suis dit
que ça pouvait être *Vogue*."

"J'ai scotché les photos non retouchées
que Steven Meisel a faite de moi
sur la porte du frigo et j'ai posé un cadenas."

"Comment réussir à faire
quelque chose de neuf aujourd'hui ?
Vous savez que c'est un enfer ?
Vous ne pouvez pas imaginer."

"Ça va le boulot ?
– Tu sais, la perfection, c'est dur."

"Tu vois comment Hermès ne fait jamais
de soldes ? Eh bien elle a la même chose avec l'empathie."

"J'adore la légérité."

"Il voyage autant que tu t'ennuies."

"J'ai vu que tu t'amusais bien hier soir.
– Tant que ça ?
– Disons que tu ne seras jamais président."

"Tu préfères quoi ? Les embrasser
ou les faire pleurer ?"

"Quand elle veut savoir l'heure,
elle envoie un coursier regarder l'horloge
sur le clocher du village."

"Je bosse à la télé. Ce qui veut dire
que je fais ce que tu fais pendant ton temps libre
mais de façon salariée."

"On travaille sans poubelle au studio.
Aucune n'est assez belle.
On ne va pas bosser avec une poubelle moche
ce serait le début de la fin."

"On ne dit pas 'montre en or' c'est trop
connoté. On préfère dire 'montre soleil'."

"J'ai commencé aujourd'hui. La boss m'a dit :
Bonjour vous êtes le nouveau ?
J'espère que vous n'allez pas
vous évanouir comme l'autre."

"Once, I fell on the catwalk and Donatella
told me : Who falls ? Just the stars,
not normal people."

"C'est un manteau à cent smic."

"J'étais en vacances en Amazonie.
La lumière était vraiment nulle."

"Une syllabe : non."

"Ne pleure pas. Pense à ton maquillage."

"T'as un iPhone 6 dans la poche
ou t'es content de me voir ?"

"J'ai fait le casting de cul pour la pub.
Le cul fossette musclé cardio
c'est introuvable, elles ont toutes
des culs Kardashian maintenant."

"C'était bien ton déjeuner ?
– On a fait le concours de qui a eu
la semaine la plus pourrie.
Tout le monde a gagné."

"Il s'appelle Johnjo je crois.
Un truc compliqué et simple à la fois."

"Ma femme m'a quitté. Elle m'a dit
que j'étais trop sur mon téléphone."

"C'est qui sa muse ? La fée Caca ?"

"Quel jour on est ?
– Mais comment veux-tu que je le sache ?"

"Qu'est-ce que tu portes ?
Un truc copié sur H&M ?"

"Alors ce dîner ?
– Je n'ai dit que des trucs que j'avais déjà dits
et écouté que des conversations
que j'avais déjà entendues."

"Pour le formulaire nous avons besoin
d'une photo d'identité de vous,
mais un selfie sera parfait."

"J'ai envie de réel."

"Alors les défilés ?
– Ça faisait du bien de voir des fous."

"J'ai mangé un paquet de Pépito
après Chanel."

"J'ai tant de fringues à la maison
je peux plus ouvrir la porte."

"Pharrell me draguait encore ce matin
chez Chanel, qu'est-ce qu'il est lourd."

"Tu ressembles à un hipster macroniste."

"Ah j'ai la même robe que toi mais
c'est dans une autre couleur une autre matière
et une autre longueur,
mais exactement la même."

"Tu te souviens de la vieille dame
qui est morte pendant un défilé à New York ?
Ils n'ont pas arrêté le défilé.
Si tu tombes on continue."

"Elle habite sur le Champ-de-Mars,
elle a la tour Eiffel dans le salon,
c'est beaucoup trop éclairé la pauvre."

"Elle demande 10 000 euros de cash
et 10 000 euros de fringues pour une photo
sur son Instagram. Et tout le monde joue
le jeu bien sûr."

"Ton sac c'est Saint Laurent ?
– Oui. Évidemment. Pourquoi tu me poses
la question ? T'es con ou quoi ?"

"Hello !
– Hello ! I'm Anna !"

"C'était bien de dîner avec vous.
Ça fait plaisir de vous voir pas drogués."

"J'ai une rumeur géniale mais la source
n'est pas fiable, je te la refile quand même ?"

"Elle n'a plus d'idées. Son cerveau fait le bruit
de la paille aspirant le fond du verre de Coca."

"Je ne dessine pas ça entrave mon processus
de recherche."

"J'ai bien aimé. C'était bizarre
mais c'était le bon moche."

"Helmut Lang me manque.
– On ne lui manque pas."

"Je suis malade.
– Prends du champagne."

"C'est trop compétitif et c'est idiot de croire
qu'on peut encore épater avec des vêtements.
Alors je fais des défilés spectacles."

"Je reviens de Madrid j'ai été très déçu
par Vélasquez."

"C'est une silhouette noire
qui est une page blanche."

"Kris Jenner est au second rang chez Dior."

"Je t'aime.
– Pas assez."

"C'est brodé à 360 degrés tu peux pas t'asseoir
tu peux pas te baisser tu peux pas dire non."

"Pour le défilé on a dépensé une fortune
pour des bancs sublimes mais personne
ne les a vus.
– C'est le problème quand on s'assoit dessus."

"Ils m'ont flyé première classe à Milan
pour me mettre au second rang."

"J'aime rien.
– Faut que tu baises un coup."

"J'ai perdu mon téléphone chez Jacquemus
mais vous pouvez me contacter via Facebook."

"Kanye m'a écrit un mail de dix pages."

"Pas d'interview. Il transpire."

"Il n'a jamais lu de livres,
même pas ceux sur lui."

"L'inspiration c'est Audrey Hepburn en kaki."

"C'est notre PDG qui balance des rumeurs
pour faire comprendre au créateur
qui renégocie son contrat qu'il sera remplacé
en une minute."

"Je n'habille pas les femmes qu'on voit
dans les journaux à scandales
mais celles qu'on voit dans les biographies."

"Anna avait un trench en python vert chez Jacquemus."

"Ce qu'il y a de bien dans leurs boutiques ?
L'emplacement immobilier."

"On est sûrs du maquillage lèvres noires ?
– Cent milliards pour cent sûrs
c'est hyper aujourd'hui."

"Alors ça va avec ton mec,
celui que tu as rencontré à Berlin
il y a 15 jours ?
– On s'est quittés. La vie quotidienne nous a tués."

"Il se croit plus intelligent que Google."

"Il est très agressif ce matin.
Aborde-le avec la caméra allumée il sera gentil."

"Vous pouvez nous envoyer les trois questions
que vous allez lui poser ?"

"L'inspiration du défilé c'est la crise migratoire
en Europe."

"Tu aurais une dizaine de Doliprane s'il te plaît ?"

"Elle a deux plaisirs dans la vie,
s'habiller beaucoup et se déshabiller lentement."

"Le dernier truc auquel elle pense
avant de se coucher c'est elle-même,
le premier truc au réveil aussi.
Et entre-temps elle a rêvé d'elle."

"Je ne prends pas l'ascenseur
parce que c'est pratique
mais parce qu'il y a un miroir."

"Je dois faire le papier Gucci je cherche
un angle ou je fais un copié collé
de mon papier précédent ?"

"Il a notre âge.
– On est d'accord qu'on a 27 ans ?"

"Elle pense que Birkin, c'est un sac."

"Tu dis pas ridicule tu dis unique.
Tu dis pas moche tu dis étonnant.
Tu dis pas vieux tu dis classique.
Tu dis pas con tu dis jeune."

"Je suis directeur du service merde."

"La comtesse Greffulhe avait trop peur
de séduire les hommes avec ses yeux
incroyables alors elle regardait dans le vague."

"Ce hoodie se vend tellement bien
que si on répondait vraiment à la demande
on pourrait faire 1 million par jour.
Mais c'est une série limitée."

"Je reconnais pas. C'était qui à la base ?"

"On fait trop de collections on débite à fond
on n'a plus d'idées.
– Comment vous faites alors ?
– Comme tout le monde, on pompe Miu Miu."

"Marchez comme si vous étiez
en colère de marcher."

"C'est presque 100 % vrai."

"Tu as réservé une chambre
pour le week-end à Berlin ?
– Inutile on dort pas."

"À mon arrivée, cette maison était endormie,
oubliée de Dieu."

"Leur idée de l'utopie c'est : eux, riches."

"Ils se sont connus à l'Académie royale d'Anvers
ils étaient mannequins cabine l'un pour l'autre."

"Je reviens de Tel Aviv, c'était cool,
ça m'a fait du bien de voir moins de militaires
qu'à Paris."

"Je suis nerveuse et déprimée.
– Bienvenue à Paris."

"Le vrai luxe c'est s'en foutre
que ton téléphone est à 2 %."

"C'est un philosophe Redbull."

"C'est un pantalon qui est moche
avec des chaussures mais pieds nus c'est sublime."

"Avec moi c'est tous les jours la Saint-Beurre."

"Mes arcs-en-ciel sont des ponts
alors que les tiens sont des barrières."

"David Hockney a fait mon portrait aujourd'hui
je suis superbe."

"J'ai dit bonjour à Courtney Love
elle m'a pas reconnu.
Les gens refaits reconnaissent plus personne."

"Je crois que si la jeune moi
me rencontrait aujourd'hui
elle me cracherait dessus."

"Je ne suis pas grosse j'ai des os américains."

"Elle est comme toi et moi
mais je ne l'ai jamais entendue parler
de quoi que ce soit de réel.
– Vraiment comme nous donc."

"C'est une aberrance !"

"Le mieux c'est faire l'aller-retour Paris-Los Angeles
dans la journée, pas de décalage horaire,
ton corps n'a pas le temps de comprendre."

"Alors comment est ton nouveau job
dans la mode ?
– C'est comme des vacances infernales."

"It's not a job it's a life."

"Elle habite à Paris ou New York ?
– Fauteuil 1A."

"J'adore son œil gauche
mais son œil droit est lourd."

"Elle porte le New Gucci mais façon Old Gucci."

"Je ne comprends pas quand il parle
c'est des bouts de phrases décousus,
des mots… Il parle comme un moodboard."

"C'est quoi ton truc contre l'angoisse
de la page blanche ?
– Changer de projet."

"Il baise avec tout le monde.
– Et depuis quand on critique les gens
qui baisent avec tout le monde ?"

"Il est totalement génial mais tu pourras pas
lui parler il est pas spokesperson."

"Elle a tout sauf le temps."

"On met six semaines à faire notre magazine
qui est un mensuel. Je te laisse calculer le problème."

"En France on a un problème avec les gens."

"Elle était affreuse il y a deux jours et personne
n'en voulait mais elle est devenue une Rolls
depuis qu'elle a eu une exclu chez Prada."

"J'étais à la fête Givenchy
il y avait que des mecs qui existent pas."

"Je pense que je suis né à 11 ans
parce que je ne me souviens de rien avant ça."

"J'hésite entre ces deux robes.
– Celle-là ressemble au rideau du palais
Garnier et l'autre à l'Opéra-Bastille."

"Elle ne dit jamais c'est sublime.
Elle attend que trois kamikazes aient dit
c'est sublime et ensuite elle dit c'est sublime."

"T'as pensé quoi des défilés de New York ?
– New York n'existe plus."

"C'est mon nouveau critère pour savoir
si une soirée était bien.
S'il y a des sacs Chanel par terre,
abandonnés, c'est que c'est génial."

"Comment était la soirée ?
– Il y avait des sacs Chanel abandonnés."

"T'as l'air en super forme dis donc.
– Oui, j'ai mangé, finalement."

"Il a du talent mais pas d'envie."

"Ma mère était une cinglée du shopping,
je pense que j'ai été conçue dans une cabine
d'essayage Paco Rabanne."

"Une jupe n'est jamais trop courte."

"J'adore ton look. Je suis jalouse
de ta simplicité."

"Tu dis pas bordélique
tu dis pêle-mêle surprenant."

"C'est une montre pensée comme un ruban
de soie qui donnerait l'heure."

"Votre défilé est dans quelques jours ?
– Oui, on mange les yaourts sans cuiller."

"Elle n'a pas voulu d'enfants.
Hermès faisait pas de couches-culottes."

"J'ai pas fait d'école mais j'ai de l'instinct."

"C'est adorable chez toi. Ça me change
du cube blanc dans lequel j'habite."

"Ils ont appelé la rédaction pour nous forcer
à aller à leur fête. Ils sont annonceurs,
on est menottés au bar à cocktails."

"C'est un esthète. S'il avait des livres
il les rangerait par couleur."

"Il m'a expliqué que son château coûtait
moins cher à entretenir qu'un yacht."

"Il ne dit pas d'une femme qu'elle est riche
mais qu'elle est belle."

"Je préfère l'idée de Beyoncé à Beyoncé en soi."

"Elle travaille beaucoup son corps.
– Son corps devrait la salarier."

"Il est le matelas du Tout-Paris."

"Mais d'où elle vient ?
– Je ne sais pas mais en tout cas
ses vêtements viennent de Chine."

"Une idée ne suffit pas. Il en faut trois
et les téléscoper.
– Mais non, l'inverse. Il faut à peine une idée
et l'exploiter cent ans."

"Ils sont persuadés que l'ennui c'est chic.
Ils sont très chics."

"Il paie même pas les celebs. Il leur envoie
des containeurs robes c'est tout.
Et elles viennent au défilé.
L'amitié c'est simple comme trois robes gratis."

"Le *Elle* a adoré."

"Elle est en état de mort mode."

"Vas-y fonce. Arrête de réfléchir.
Si tu tombes tu te casses une dent tu t'en fous
tu la répares."

"Tout le monde l'imite tellement
que j'ai toujours l'impression
que Richard Avedon n'est pas mort."

"C'est un dandy.
Il porte ses chaussettes pieds nus."

"Ma musique préférée c'est t'entendre respirer."

"Si on pense à l'avenir on ne fera rien,
alors on fonce sans réfléchir."

"Je ne peux pas mettre cette robe.
Elle est plus belle que moi."

"Pour le défilé si le mur du fond est blanc,
c'est une mode intellectuelle. Si c'est noir,
c'est spontané et rock, la fille marchera vite."

"Je sais qu'ils sont tous inspirés par leur mère,
mais là ce sont les rideaux de sa mère
qui l'inspirent non ?"

"Tu ne dis pas annonceur, tu dis génial.
Tu dis pas mouais, tu dis on adore.
Tu dis pas confus, tu dis plein d'idées."

"Tu dis pas réactionnaire, tu dis une plongée
dans les archives de la maison."

"Tu dis pas pénible, tu dis obstiné.
Tu dis pas qu'il est insupportable
avec ses collaborateurs, tu dis irréductible."

"Tu dis pas importable, tu dis avant-garde.
Tu dis pas indécent, tu dis jeu de transparences."

"Tu dis pas que c'est pour des femmes
de marchand d'armes, tu dis que la marque ouvre
beaucoup de boutiques."

"Tu dis pas qu'elle a été virée,
tu fais un portrait élogieux de son successeur."

"J'ai tout fait de façon spontanée.
Jamais je n'aurais imaginé que
tout ce que je faisais deviendrait mythique."

"Je suis excessive en tout
mais je n'ai pas d'ego. Je t'assure."

"Je n'ai pas de compte Instagram.
Enfin si, il y en a un à mon nom,
mais c'est celui de ma marque."

"Malheureusement, son narcissisme
n'est pas proportionnel à son talent."

"Chanel n'est pas un adjectif. Si tu écris
qu'un tailleur est très Chanel, on se prend
un procès et c'est pas Chanel du tout."

"Tu vas bien ?
– On va bien, oui."

"Il faut que tu atteignes ce stade génial
où plus personne ne peut te critiquer.
Rei Kawakubo de Comme des Garçons y est."

"Les vêtements de podium sont ridicules
en boutique, et inversement."

"Rappelez-vous bien qu'ils n'achètent
nos vêtements que pour coucher.
La vulgarité n'est pas un problème."

"J'ai jeté ma valise sur ma tête et j'ai porté
ce qui s'était accroché à mes épaules."

"Je suis sorti du défilé. Ça durait
plus de vingt minutes. J'en pouvais plus."

"Tu aurais pas une idée de nouveau bleu ?"

"Il nous donne des croquis de robes,
toujours portées par des créatures faméliques,
un trait de crayon pour faire une jambe."

"Mon défaut c'est vraiment la sincérité."

"Il vaut mieux des espoirs éventuellement
brisés que pas d'espoir du tout.
– Avec cette mentalité tu devrais bosser
à l'Élysée."

"Il ne touche plus jamais un vêtement.
Il croit que son métier
c'est donner des interviews."

"La collection est tellement noire
il doit travailler dans une oubliette.
– Ou une backroom."

"Tous ceux qui se droguaient dans les années 70
sont morts il ne reste plus que les chiants
et ceux qui prenaient des notes."

"Trillion ça se dit comment en français ?
Ne me regarde pas de façon narquoise !"

"Elle se fait des tartares d'assistant à midi,
ça donne de l'énergie et ça préserve la ligne."

"J'aime absorber le chaos pour en recracher
quelque chose de beau et de solide
qui nous envoie vers un demain."

"Il ne passe jamais par la case simplicité.
Et c'est pour ça qu'on l'a embauché."

"On vient de me dire notre chiffre d'affaires
sur les ceintures et j'ai un fou rire nerveux."

"L'inspiration c'est le capitalisme
et les fumigènes dans les yeux des manifestants."

"On fait de l'art pour femmes riches."

"Il se tient à flot grâce à la paille qu'il plante
dans le crâne des stagiaires d'écoles de mode
et qu'il aspire tous les matins."

"Elle est un peu iconique
mais elle n'a aucune importance."

"Qui c'est ?
– Elle a une tête de quatrième rang."

"T'as dormi ?
– Oui. Deux heures. Et j'ai rêvé
que je ne dormais pas."

"Tu ne penses qu'à toi.
– Et alors ?"

"C'est vulgaire mais une vulgarité ok."

"Il est incroyable. Il est un pâtissier avec des abdos."

"Elle est belle. On pourrait la rendre moche
elle serait toujours belle.
– C'est un peu ce qu'on fait non ?"

"J'ai décidé qu'après ce week-end j'arrêtais la drogue."

"Salut, t'as un mec ?"

"Ton foulard ! Tu ne fais pas le nœud
au milieu du cou c'est trop premier degré !"

"Il ne donnera pas d'interview.
Il fera seulement des photos avec les celebs
et des selfies avec les clientes."

"Rien de tel qu'un dîner mode
pour te faire te sentir super normal
et bien dans ta tête."

"Il a fêté ses 28 ans il y a deux ans à Berlin
et maintenant il en a 40."

"C'est un T-shirt Levis
mais on le crédite Prada parce qu'on n'a pas
assez de crédits Prada dans le numéro.
Les lectrices se débrouilleront."

"C'est tellement beau ça démode tout le reste,
j'ai envie de me jeter à la poubelle."

"Je ne veux pas critiquer
mais c'est un tout petit peu hideux."

"Elle a une mentalité très crinolinienne,
aucune de ses idées ne passe les portes."

"Ton pull est rêche.
– Oui mais c'est Saint Laurent."

"Quelle était votre inspiration cette saison ?
– On a fait une collection rose
parce que les gens aiment les vêtements roses."

"Elle est espagnole. Son 17 heures
c'est ton 21 heures."

"Marchez comme si votre mère
venait de vous déshériter il y a une heure
et que ça n'avait aucune importance."

"Ta soirée mannequin alors ?
– Pénible. Beaucoup trop d'ex."

"Tu t'en fous de ce qu'ils pensent,
tu entres comme si t'étais parisienne."

"Elle a tout, elle veut encore plus."

"Il a pris quoi comme médicaments ?
En tout cas son pharmacien est riche."

"Il croit qu'il est bouddhiste parce qu'il boit
du thé vert et qu'il a une calvitie."

"C'est une chaussure de ville
avec un vieilli effiloché et un laçage dissonant."

"C'était une torture, comme entendre
la même chanson de Selena Gomez deux fois
dans une journée."

"C'est pas exactement noir. Il y a une subtilité
dans la noirceur, un peu de rose."

"Elle est méchante mais c'est parce que
sa hiérarchie est méchante avec elle,
il faut la comprendre la pauvre."

"Il repousse sans cesse la neutralité."

"Il était brillant mais tu n'as pas idée
comment il était brillant, mais il est
tombé amoureux, il est devenu invisible."

"Ces reproches contre la mode !
Comme si la mode devait être blâmée de tout.
On reproche moins de choses à l'industrie du bonbon."

"C'est du rien à plein temps."

"Je préfère Instagram à Twitter.
J'ai toujours été plus mode que mot."

"En management il est comme une fourchette
dans un micro-ondes allumé."

"La robe à 2 000 de Proenza Schouler,
j'ai des copines qui n'ont pas les moyens
mais elles résistent pas elles se l'achètent."

"C'est parfumé à la rose
mais une rose moderne."

"Ces fringues n'ont aucun sens,
personne ne les portera jamais.
Et on est tous tellement hystériquement
déconnectés qu'on ne le dit même pas."

"Quel est le métier de la dame
avec des oreilles de lapin et un manteau jaune
que tout le monde photographiait
devant le défilé ?"

"Elle ressemble à Kate Moss en moche."

"Je suis à côté de mes Vivier."

"Son enveloppe corporelle est sublime
mais elle n'a aucune grâce. Elle fera
des photos géniales mais pas de podium."

"Anna m'a souri chez Chanel."

"Garez-vous exactement devant l'entrée,
j'ai trop mal aux pieds pour faire deux mètres."

"Elle a la psychologie d'une matraque de CRS."

"Vous portez de la Haute Couture ?
– Oui.
– Qu'est-ce que ça change ?
– Tout."

"Il déteste les injustices et les gens."

"Elle est temps riche, cash riche."

"Attends je suis à l'aéroport, mon téléphone doit
passer aux rayons X, je le glisse dans le truc
je te reprends tout de suite."

"Je ne fais pas de robes au-dessus
de 100 000 euros, mes clientes
ne comprendraient pas."

"Alors c'était bien ton plan cul ?
– Ce matin galère mais celui de midi super."

"Il est boring blindé.
C'est une forme d'ennui horrible."

"C'est un sculpteur de peau."

"On ne parle plus de nez maintenant.
Tout est focus sur la pommette."

"Y a perdage de pédales."

"On dirait un bonsaï géant.
– Oui c'est un arbre."

"Il s'est amandalearisé."

"Elle a cette méchanceté froide des gens
du showbiz qui ont réussi
et ne sont pas d'une minorité."

"Ce bébé est tellement beau,
il devrait faire de la pub ! Vous y avez pensé ?
Non mais sérieusement !"

"On m'a harcelé alors j'ai fait des robes
mais en fait je suis un architecte
sans bâtiment. Remarquez,
j'ai fait mes boutiques."

"Il dit tout le temps des horreurs.
J'ai eu un cancer des oreilles à cause de lui. Vraiment."

"Il est sublime mais il était moche donc
j'ai regardé ses photos de profil précédentes.
Ne sors surtout pas avec, il redeviendra moche."

"Sur sa tête il y a écrit forte potentialité
de rapport sexuel."

"My mind is blank. I'm fashioned out."

"Tu devrais ouvrir une clinique psy bien
décorée en bas de mon travail."

"Et sur ce portant c'est notre précollection
qui n'est pas faite par notre créateur
mais qui cartonne."

"D'avoir des enfants lui a ruiné son focus.
C'est tellement dommage."

"J'ai un nouveau mec. Il est sexy
mais il a besoin d'un media training
pour moins se répéter."

"J'a mis juste un jean ce matin.
Ça fait du bien un peu de vérité."

"Tu ne dis pas prétentieux et importable,
tu dis c'est une pièce exigeante."

"C'est une robe qui a pris 300 heures de travail.
– Vos ouvrières sont lentes."

"J'ai passé une journée de merde
mais là je me sens vraiment bien.
– Comment ça se fait ?
– Je me suis changée."

"Comment se passe ton retour à la réalité ?
– Mais de quelle réalité tu parles ?"

"Je veux acheter un paquet de cigarettes.
– Mais tu ne fumes pas.
– J'ai envie de commencer."

"J'ai appris la philo à mon neveu.
– Tu as commencé par quel concept ?
– Les bulles de champagne.
Elles ne viennent pas que du fond du verre."

"On a voulu un raffinement brut.
On a mis des clous sur le cachemire."

"Je la voudrais en taille 42.
– On l'a en 42 à Montaigne.
Je vous la fais venir en taxi,
prenez du champagne en attendant."

"Elle disait qu'il fallait qu'on arrose ses robes.
Et ça voulait dire nous faire pleurer."

"Je travaille depuis trois ans pour lui.
300 nuits blanches. Ce matin il m'a redit
'nice to meet you'."

"Elle vit dans un nuage de sa propre création."

"Je n'aime pas être appelé créateur de mode
parce que je déteste la mode.
Je suis un faiseur de robes."

"Je déteste les ballerines. Sauf si c'est Chanel."

214

"Je n'ai honte de rien. Ce serait
une perte de temps et je suis pressé."

"Je n'ai pas voulu de règles
parce qu'elles définissent des fins
et je n'aime que les débuts."

"Un couturier qui mange des nouilles chez lui
ça n'intéresse personne alors il fait des caprices
publics qui le font passer pour créatif."

"Pour les réseaux sociaux on veut du contenu
qui arrête le pouce."

"J'ai porté la robe à l'envers
sans faire attention mais le résultat
était beaucoup plus intéressant."

"Il est journaliste mais pas très bon.
Pas assez pervers. Je crois même qu'il est gentil."

"Elle est un miracle.
– Cour des miracles ou Miracle de Lancôme ?"

"Je fous rien rien. Je procrastine
même ma procrastination."

"Il a fait mettre des murs de papier
pour que les employés chuchotent
et instaurer une ambiance d'église autour de lui."

"Elle est aussi intéressante que le carton
d'invitation d'un défilé qui a eu lieu hier."

"Il fait le tour de l'Amérique du Sud
en couchant chez l'habitant."

"Elle m'a envoyé trois terras de mails
de déclarations d'amour."

"L'inspiration c'est une riche devenue pauvre
mais qui dépense sans compter."

"C'est vraiment une sophistication sans effort tu vois."

"Allô je suis coincée dans un bouchon
tu peux m'attendre et reculer le début du défilé ?"

"Je suis allé en vacances au Brésil
mais tout m'inspirait trop
et c'était pas des vacances."

"Ton manteau est affreux. Tu as oublié
que tu faisais partie du monde visible ?"

"La clé c'est de ne pas penser
à ce que j'ai déjà fait
mais à ce que je vais encore faire."

"Son first rom c'était la nuit des seconds couteaux."

"Arrête de dire chinois et russe
comme si c'étaient des insultes."

"Tu ne dis pas elle est virée
tu dis elle s'éloigne de la Maison
pour se consacrer à un projet personnel dans l'édition."

"Je suis une handicapée sensorielle.
Je ne peux porter que de la Couture."

"C'était bien ton week-end ?
– Je suis épuisé d'amour."

"Il y a des limites. Elles ne sont pas humaines
mais il y a des limites."

"Je checke Twitter, FB, Snapchat, IG
et quand j'ai fait le tour je recommence
et comme ça jusqu'à ce que la journée soit finie."

"Il engloutit les assistants par douzaines.
Il est le service militaire de la mode."

"On a prototypé un nouveau sac sublime.
Maintenant il faut qu'il s'ouvre.
Les ateliers cherchent une solution."

"Oh mon Dieu !
– Mais Dieu qui ?"

Saison 2017

"Je vis fashion je respire fashion
si je pouvais je me rebaptiserais Fashion."

"On ne peut pas avoir le beurre l'argent du beurre
et le cul de Kim Kardashian."

"Ça va ton nouveau boulot ?
– Beaucoup mieux. Je n'ai pleuré
que 40 % du temps hier."

"Elle est la fille la plus sereine du monde.
Elle inspire rouge elle expire beige."

"J'ai fait un régime super !
Tu imagines toutes mes fringues
que je vais pouvoir te refiler ?"

"Elle vit seule dans une forêt de like."

"Je n'aime pas les gros livres
quand tu les lis c'est trop lourd
ça fait mal aux poignets."

"Il faut que tu crées
sinon les autres vont créer des choses horribles à ta place."

"Au début tu pensais petit
et maintenant tu ne penses plus du tout."

"Elle est dans une aventure autonome.
– Elle a été virée ?
– Elle est dans une aventure autonome."

"La dernière fois que je me suis lavé les cheveux,
Trump n'était pas président."

"Elle croit en Dieu mais c'est pas réciproque."

"C'est un pantalon qui est comme une robe
mais avec des jambes."

"Tu vois le mépris
que tu as pour les influenceurs ?
Eh bien le reste du monde a le même mépris pour nous."

"Je pourrais écrire une encyclopédie
sur mes défauts.
Dont un tome sur mes fourches."

"J'ai remarqué que mes bijoux Chanel sentent bon."

"Elle a le fric cool. Tellement rare."

"C'est un T-shirt politique à 690 euros."

"Non pas de photo,
j'ai une tête de faceswap avec un taco."

222

"Je voulais un imprimé qui ne voulait rien dire.
C'est tellement important de ne rien dire.
On n'en peut plus de dire dire dire."

"L'inspiration, c'est une autre espèce humaine
parce que celle-ci ne fonctionne plus."

"La collection était anti-Trump et chic à la fois."

"C'était fesses day au sport aujourd'hui,
je suis en morceaux."

"Ça fait deux ans que je bosse. J'en peux plus."

"Comment je m'habille
pour le dîner Balenciaga de ce soir ?
– Porte ton costume à l'envers et ça ira."

"Psychologiquement, je suis Céline.
C'est juste mon compte en banque qui est Zara."

"Je résiste.
– Tu résistes ?
– Au normal."

"Tu dis pas gris tu dis
un voile de mystère s'étend sur la collection
et ses silhouettes diaphanes, sensuelles et mélancoliques."

"Tu dis pas orange tu dis carnation de l'aurore.
Tu dis pas noir tu dis contour de minuit nébuleux."

"Le défilé c'était un robinet à miel.
J'étais en dessous, la bouche grande ouverte."

"Tu dis pas la pièce est peinte en blanc,
tu dis un lieu où le chêne sable s'invite en roi."

"Elle est riche et écolo, elle a une Rolex en bois."

"Elle achète ses bombers oversize en taille XS."

"Je ne bois pas d'alcool.
Que du champagne ou de l'eau à la limite."

"On a engagé le chamane qui provoque le beau temps
pendant le carnaval de Rio pour être sûr d'avoir du soleil
pendant notre défilé en plein air.
Il a pris seulement 200 euros."

"J'ai enfin compté.
J'ai 11 paires de Stan Smith."

"Demain je ne suis pas au bureau,
je vais acheter de l'or."

"Il sait tout faire. Il est multiversel."

"J'ai acheté une BD sur la guerre,
et bien même en BD c'est trop déprimant."

"Les mannequins étaient intimidées
par ce qu'elles portaient et ça ne rendait rien beau."

"C'est la fin du papier. J'ai plus d'amants
que d'annonceurs."

"Tu veux dîner ce soir ?
– Ah non le lundi je ne me montre pas au public."

"Oh j'ai la gueule de bois… J'ai besoin d'une vodka."

"On a travaillé pendant des semaines sans arrêt
jusqu'à ce que quelque chose de divin apparaisse."

"Je voudrais que mon téléphone télécharge
un bon camembert là tout de suite dans mes mains."

"Je t'adore.
– T'es pas le seul."

"Ah non je me suis pas drogué j'ai juste pris des ecstas."

"Je travaille chez Grasset.
– Tu travailles chez *Grazia* ?"

"Il ne fout rien, c'est son seul défaut."

"J'en peux plus. Je voudrais juste
un jour sans champagne."

"Ça fait trop de temps que je passe dans le même job.
Ça fait sept petits amis que je suis ici."

"À chaque attentat j'ai 50 ex
qui sortent du buisson et m'envoient des messages
oh my god I hope you're ok, j'en peux plus."

"On veut du hors-norme, la norme ça sert à rien."

225

"Je suis plus exigeant avec mon téléphone
qu'avec moi-même."

"J'ai jamais passé le permis j'étais amoureuse,
impossible de me concentrer."

"J'avais tellement faim
j'ai oublié d'instagrammer mon repas."

"Notre red chef est comme une bougie au soleil.
Elle ne sert à rien."

"C'est une brume aérienne qui stimule
les enzymes détoxifiantes de la peau
pour stopper net le stress oxydatif."

"Désolé j'ai une heure de retard
tout le monde voulait un selfie avec moi."

"Elle a réinventé la laideur, c'est pas rien."

"Elle autoviole sa vie privée plusieurs fois par jour."

"Je suis hyper prise, voyons-nous après l'été !
– Mais ce sera les défilés.
– Oui après les défilés."

"Je ne connais pas 98 % des gens
qui me disent bonjour. Au début j'ai cru
que j'allais perdre mon équilibre mental
mais maintenant je m'en fous."

"Don't overdesign. Keep it simple extreme."

"T'es belle.
– Tu ne me dis ça que les jours
où j'ai mon sac Chanel."

"Bonjour, je voudrais de la glace aux protéines."

"C'est un mec gentil.
Il est parfait pour un mardi soir
mais pas pour un samedi soir."

"Elle s'appelle Marie avec deux A. Maarie.
Mais je sais pas comment ça se prononce."

"Félicitations pour le mariage !
– Oh c'est que pour les impôts."

"Je n'arrive pas à savoir si c'est affreux
ou si ça change la façon dont on va s'habiller
les dix prochaines années.
– Les deux."

"J'arrive ! Donne-moi une heure
que je mette mon visage."

"C'est un nouveau traitement génial
où on t'injecte de l'hélium dans la peau
et dix jours après tu as 22 ans."

"Elle est de mauvaise humeur
parce qu'elle ne sait pas que la bonne humeur existe."

"Je pars en vacances le 8 juillet.
Et je reviens le 17 décembre."

"Allô j'ai de gros problèmes de maillot de bain
je te rappelle plus tard."

"La semaine dernière avec la vague de chaleur
il faisait trop chaud à la maison, j'ai jeté ma femme
dans un taxi et on est allé dormir au Raphaël."

"Tu pars en vacances ?
– Non. J'ai jeté mon passeport à la poubelle
parce que j'ai cru que c'était une vieille invitation
de défilé Vuitton."

"J'ai été dans les Cévennes, à Berlin, Bali,
après un peu de Thaïlande, Tokyo dix jours,
encore Berlin, et ensuite Ibiza pour me détendre."

"Elle ressemble à un tapis persan,
t'as envie de tout négocier avec elle."

"Mes vacances c'était Rihanna dans une fête Dior."

"L'argent ne vaut rien, tu devrais emprunter
et t'acheter des Pierre et Gilles."

"Il a l'impression de se répéter dans sa mode.
Il faudrait qu'on lui présente une mannequin sublime
avec trois bras."

"Il ne me faut pas grand-chose.
Un magazine, des lingettes de démaquillant
et je suis bien."

"Elle s'appelle Linda, mais sans N."

"J'en ai marre de ces collections
qui mettent le corps de la femme en valeur."

"Hier j'ai eu une mauvaise photo de moi
likée 340 000 fois."

"Excuse-moi je suis en double appel mental aujourd'hui."

"Ne regarde pas tes photos de vacances.
C'est le moodboard des regrets."

"C'est un short d'été coupe hiver."

"Elle est belle.
– Oui. Mais bon. Elle se maquille les bras."

"C'est la nouvelle stagiaire on l'appelle Samedisoir
parce qu'elle s'habille comme un samedi soir."

"Aujourd'hui j'ai travaillé davantage
que dans tout juillet et tout août réunis."

"Je n'aime pas le cynisme."

"Un mec dans la rue vient de me proposer 600 euros
pour acheter ma veste en lin merdique.
Je rends tout sublime manifestement."

"Cette saison on veut des filles extrêmement jambées.
– Grandes ?
– Voilà."

"Je bosse dans le news
alors le soir j'ai besoin de me détendre avec le réel."

"Il ne respecte pas les femmes.
– Je te rassure il ne respecte pas les hommes non plus."

"T'as encore fait du shopping ?
– Le problème c'est que tout me va."

"Je suis allée en vacances à Ibiza
et je redoutais mais en fait les gens m'ont
vachement laissée tranquille."

"Elle prenait le thé avec la reine
et son téléphone a sonné. La reine lui a dit de décrocher,
que c'était peut-être quelqu'un d'important."

"On veut un défilé qui soit un coup de clash
dans un lieu noir sans mise en scène mais ultime."

"Il n'y a plus de saisons.
À partir de maintenant on ne dira plus collection été
ou hiver mais collection septembre et collection février."

"Fais-leur une bouche couleur bouche !"

"Tu ne dis pas ça pue,
tu dis c'est un parfum immersif."

"À l'école de mode ils lui ont dit d'être lui-même
mais il n'a aucune idée de qui ça peut bien être."

"Le sac à 4 000 c'est le nouveau sac à 1 000."

"Ma nouvelle crème hydratante est géniale
j'ai l'impression de mettre de l'eau pas mouillée
sur mon visage."

"J'aurais adoré venir ce soir
mais mon garde du corps vient de me lâcher."

"J'ai fait un dîner à la maison avec six influenceuses,
on avait 14 millions de followers
dans la salle à manger."

"Tu dis pas je vais me répéter tu dis je propose
un vestiaire dont les pièces vont entrer en résonance
de saison en saison."

"J'ai une envie de smoothie aux frites."

"Où est la maquilleuse ? No make up, no interview."

"Hier j'avais tellement faim
je me suis fait un Bloody Mary."

"Je ne mets pas ma vie sur les réseaux sociaux,
les gens ne pourraient pas suivre."

"Je vais te présenter notre créatrice.
Je préfère te prévenir, ce n'est pas une belle personne
mais c'est pas facile d'être géniale."

"Pas trop dur le lundi ?
– J'ai la motivation de François Hollande
pendant le débat du mariage pour tous."

"Sois pas sad, sois sexy and mysterious."

"La mode c'est : Rien n'est réel tout est possible.
La France c'est : Tout est réel rien n'est possible."

"T'es belle ! Tu as changé un truc ?"

"Elle est hyper écolo,
elle fait éteindre un des moteurs du jet
quand elle est en vitesse de croisière."

"On n'a qu'une Terre et deux maisons de vacances,
il faut en prendre soin."

"Elle est tellement belle
qu'elle est obligée de se dévaloriser
sinon c'est trop de beauté et les gens l'évitent."

"Il était saoul. Ou très enthousiaste."

"Tu dis pas elle est paumée, tu dis elle est instinctive."

"Mais non je ne me contredis pas.
Ce qui était un oui hier est un non aujourd'hui
et inversement. Cherche pas à comprendre c'est la mode."

"Elle ne boit que de la tequila.
– Mais ça ne fait pas perdre la mémoire la tequila ?
– Oui. Et ça fait maigrir. Que des avantages."

"Désolé c'est une question du lundi,
mais si je prends deux Doliprane 500
est-ce que c'est comme si j'en prenais un de 1 000 ?"

"On a dîné chez elle. Il y avait de l'or
sur les sardines. Si elle croit qu'elle va m'intimider
avec des sardines."

232

"Elle a offert un drone à son gosse à Noël.
Il a pris plein de photos des maisons secondaires.
Instagram. Redressement fiscal bonjour !"

"À partir de quel âge peut-on offrir
des diamants à un enfant ?"

"Je ne sais pas ce qu'il se passait hier
mais tout le monde était beau dans la rue."

"Je trouve pas mon style de vie extrême.
Je n'en connais pas d'autre c'est tout."

"Elle était à deux doigts d'être belle."

"J'ai demandé si le manteau était en soldes,
la vendeuse m'a répondu : Non, il est iconique."

"Le stagiaire m'a envoyé une dick pic,
j'ai répondu ah ah ah !"

"Elle a fait des études d'ego.
Elle a un master melon."

"L'inspiration c'est une femme vegan Vegas.
Elle croit en la décroissance,
mais aussi dans les broderies."

"J'ai peur d'avoir peur parce que ça tue la créativité."

"On doit persuader le client que le vêtement
qu'on lui vend n'est pas une transaction
mais une histoire, un voyage, un héritage."

"On vient d'embaucher des Anglais au studio.
Ils mettent une très mauvaise ambiance
et la collection sera super forte."

"Elle a le visage coincé dans un selfie."

"Son super pouvoir c'est que sur elle
un truc à 10 000 euros a l'air de sortir de chez Uniqlo."

"Ce week-end je me détends
j'arrête de produire des données."

"J'adore mes nouvelles chaussures.
Ils les ont fait venir d'Italie en taxi moto
pour que je les porte aujourd'hui."

"Au dîner chez lui, il y avait deux menus.
Un pour nous et un juste pour lui.
Ça m'a énervé alors je lui ai dit que son gros
Basquiat accroché derrière lui était un faux."

"J'ai déjeuné avec elle,
c'était comme avec les Américaines,
elle avait prescripté toute la conversation
et faisait semblant de rire."

"Tous les gens qui ont fait du sexe
dans les escaliers du Palace ont fait
leur livre de 200 pages j'en peux plus."

"Le luxe c'est un week-end sans un seul regard caméra."

"Je déteste le chiffre 7. Tu n'as pas idée à quel point.
Ça devient vraiment un problème."

"Je suis amoureuse de lui.
– Ah non ! Tu lui enlèves les cheveux
il n'y a plus rien !"

"Tu crois que je suis à côté de la plaque
mais c'est pas toi qui définis où est la plaque."

"Il a envoyé un camion de cadeaux à Kim Kardashe
mais elle ne les a montrés que sur Snapchat
et pas sur Insta. Il a été viré."

"Je cherche quelque chose de génial aujourd'hui."

"Elle prend les réunions pour des group hugs
dans le désert."

"Elle n'est pas elle par hasard."

"On a fait une collection noir, bleu marine et gris.
Quand on lui a montré un manteau bleu à carreaux blancs
il nous l'a jeté à la figure, beaucoup trop créatif."

"Les journalistes c'est fini.
C'est prestige mais c'est zéro impact."

"Le défilé était noir. Pour le dîner il a exigé
qu'on produise des cigarettes en papier noir. On l'a fait."

"Je lui pardonne s'il me donne tous ses tableaux."

"On n'a pas mis de miroir dans les cabines
d'essayage. Tu dois ressentir le vêtement
et pas le regarder bêtement."

235

"Je suis épuisé !
– Dure journée ?
– Pas épuisé d'aujourd'hui ou d'hier
mais épuisé des six années qui viennent de passer."

"Elle a une beauté sale une beauté créative
qui nous dégoûtait l'an dernier
mais pile comme on veut en ce moment."

"Il a séquestré la mannequin
pour un fitting de 18 heures.
Non-stop. À la fin, elle pleurait
pendant qu'il essayait des fringues sur elle."

"Quelle est votre stratégie pour rester luxe et moderne ?"

"Elle est venue m'embrasser,
j'avais l'impression de faire un high five à la solitude."

"Il se nourrit de vanille."

"On a baisé. C'était scolaire et sans mention."

"Ah non je suis horrible sur la photo.
– Dans dix ans tu te trouveras fantastique
sur cette photo, crois-moi."

"Pour son premier défilé chez nous
on hésite entre le grandiose ou le discret.
En tout cas on veut un moment qu'on ressente
physiquement et que ce soit crucial."

"Il embrasse mal alors qu'il a 22 ans.
Il a eu six ans pour apprendre."

"J'ai faim.
– Mais non ! Tu confonds fatigue et faim."

"Il est snob.
– Snob con ou snob cool ?"

"L'inspiration c'était le défilé croisière
de Louis Vuitton à Rio en espérant que personne
n'ose le faire remarquer."

"Une amie m'a offert un petit lit
pour poser mon téléphone. Je le couche le soir
à 23 heures, j'arrête de travailler et je profite enfin."

"J'ai pris trop de café, ça m'a épuisé."

"Je ne peux pas me teindre en blonde
parce que mes cheveux sont trop ouverts
et le pigment ne reste pas en place."

"Soyez présentes sur le podium !
Intenses mais pas de sourire."

"Je n'aime pas le mot Mode, je préfère le mot Vie."

"On ne paie personne pour venir au premier rang
de notre défilé. On envoie des garde-robes gratuites
mais c'est tout."

"L'inspiration c'est une femme à Paris, végétarienne.
La réalité c'est une femme à Dubaï, carnassière."

"J'ai rencontré un mec génial
mais il a un vieux téléphone."

"Je vis dans une dictature champagne."

"C'était un de ces dîners avec une clause
de confidentialité à signer à l'entrée."

"Les manches montgolfières de mon chemisier
se sont écrasées."

"Quand ma robe du soir a craqué
pendant le dîner officiel, tu m'as sauvée
en me disant : Mais que ferait Patty Smith,
ça m'a complètement revitalisée."

"L'inspiration c'est le grand bordel."

"T'es trop toi parfois."

"C'était une soirée géniale.
Le lendemain ma note Uber était descendue à 2,9."

"C'est un bleu immersif."

"En Chine, plus personne n'achète rien."

"J'en peux plus de l'optimisme."

"Les défilés c'était vraiment mortes versus vivantes."

"J'adore les artistes italiens comme Botticelli et Dalì."

"J'ai rien compris au défilé. Pour moi
c'était des donuts déguisés en trous."

"Je ne suis pas prête pour ce monde.
– Et inversement."

"On cherche une mannequin avec un vrai corps.
– Bon courage."

"Bonne nouvelle !
On a fait de belles économies sur le dernier défilé !
– Comment ?
– En ne payant personne."

"J'ai fait tomber du poppers sur mes fringues.
– Ça porte bonheur."

"Ça allait ta journée ? T'as fait quoi ?
– J'ai regardé mon téléphone."

"L'inspiration c'est une femme coincée dans un cactus."

"On a un nouveau boss. À la première réunion chaussures,
il a posé une paire de Stan Smith sur la table."

"Je sors d'une semaine à Milan
donc là je trouve tout chic."

"Parler avec lui c'est comme manger de la neige.
C'est drôle deux secondes, vite pénible
et il n'en reste rien."

"Elle croit qu'elle a inventé le noir mat."

239

"L'inspiration c'est le document Excel
de ce qui s'est vendu la saison passée
chez les concurrents."

"C'est la première saison de mon assistant.
Il est excité comme une puce.
Il y a un arc-en-ciel qui part de sa tête."

"J'adore ton mec. Je le veux en porte-clés."

"Il est génial mais il a du succès
et vous les Français vous détestez le succès.
Vous aimez les gens géniaux uniquement s'ils perdent."

"Je me suis réveillé amoureux ce matin.
J'aime tout. C'est merveilleux.
Faut pas que je m'approche d'un magasin en revanche."

"On travaille avec des moodboards sans fin.
Je crois qu'on a tout numérisé
depuis les slips d'Adam et Ève.
On pioche au pif et on additionne.
On n'a pas d'idées alors on a des références."

"Il s'habille bien mais pas des pieds."

"C'est un blanc soupir. C'est celui qu'ils utilisent
pour peindre la Maison Blanche."

"J'ai trop pensé, j'ai des courbatures au cerveau."

"Je l'ai quitté parce qu'il kidnappait mes émotions."

240

"Tu plaisantes ?
– Jamais sur les choses artistiques."

"On prépare un magazine print non genré mais on hésite."

"Dans son domaine, les tombes de ses chiens sont
décorées avec des sculptures en bronze de Giacometti."

"Elle a tellement de mecs,
elle n'a pas le temps de lire *Vogue*."

"Ses parents c'est Facetune et Photoshop."

"T'as un livre à me conseiller ?
– Non."

"À la maison on ne dit pas merde devant les enfants.
On ne veut que des mots jolis.
Alors on dit Beyoncé."

"Les Américains ne savent que dire Amazing ou It sucks.
C'est génial ou ça craint. Si tu dis un truc entre les deux,
ils te disent Oh you're so intense, ils te détestent."

"Mon boulot est incroyable
mais je m'ennuie. J'ai besoin de me raconter
de nouvelles histoires tu comprends."

"C'était quoi l'inspi ? La tristesse ?"

"Il est au milieu du lac sur sa barque sans moteur
sans rames sans bras sans mains sans eau.
– Il n'a qu'à marcher alors."

"Elle est délégueuse en chef."

"Mon coiffeur m'a violemment raté.
– Les coiffures ratées, c'est comme les cœurs brisés,
ça se répare."

"Je suis créateur alors je ne change pas le monde,
mais je lui permets de se changer."

"Ce sont des chaussures révolutionnaires,
qui renoncent à la gravité." (désespérée)

"C'était hyper classique mais énormément twisté."

"Tu te souviens de la saison où Versace s'est inspiré
de Nina Ricci et Nina Ricci de Versace ?
– C'était énorme.
– Légendaire.
– Tout le monde ne parlait que de ça pendant six mois."

"Elle est tout juste à un peeling très violent
de la perfection."

"Je le respecte. Il a eu le courage de mettre
son nom sur la collection. Moi je me cacherais.
C'est beau d'assumer."

"Tu dis pas c'est une nouvelle boutique
tu dis j'ai voulu un geste architectural."

"On voulait une garde-robe qui sorte d'une valise,
un peu froissée, une urgence.
– C'est glauque, non ?
– Vous trouvez ? Ah mince."

"Il faut se foutre de tout. Un peu."

"J'étais à tous les défilés Couture de Saint Laurent,
c'était magnifique mais ne me demandez pas d'interview
je n'ai rien vu, les drogues étaient fortes,
j'étais trop dans les vapes."

"Tu peux me le payer j'ai oublié mon code Pin ?"

"En vacances dans des pays lointains
elle négocie tout alors que le Spritz à 19 euros à Paris
elle se laisse faire."

"Je m'ennuie.
— T'as pas d'Iphone ?"

"C'est une fête dans un squat
mais on peut payer qu'avec la carte de crédit."

"J'ai déjeuné avec une amie très déprimée.
Ça m'a fait du bien de me sentir mieux qu'elle."

"On a eu de mauvais résultats, il a convoqué
tout le monde et on a dû chacun prendre
la parole pour expliquer notre responsabilité personnelle
dans le fiasco."

"La première fois que j'ai dîné avec Kim Kardashe
elle textait pendant le repas.
J'étais choquée, mais maintenant je fais pareil pire."

"Il parle avec 100 mots. J'ai dit le mot crescendo
devant lui, il m'a regardé
comme si j'avais mordu dans son burger."

"Tu es folle !
– Ah non, je ne suis pas folle et je t'interdis
de prononcer le mot folle à mon enterrement."

"J'ai vu ton ex qui sortait tout le temps,
il a reçu la note…"

"Tu lis beaucoup trop de livres."

"Le magazine a voulu faire une série de mode
avec une mannequin ronde. Les marques n'ont pas voulu
prêter de vêtements et le mec de la sécurité
du studio a d'abord refusé de la laisser entrer."

"On veut pas du photogénique.
On veut pas du portable. Personne n'en veut.
On veut du photogénique portable. Les deux ou rien."

"Je suis la personne la plus chiante que je connaisse."

"Mon coiffeur s'est fait percuter par un camion de botox."

"Personne ne m'offre jamais rien en pensant
que j'ai déjà tout mais c'est faux je n'ai pas tout."

"Je suis venue de Berlin pour l'anniversaire de Mick
Jagger. C'était drôle. Mais pas si drôle que ça.
Il s'est vachement embourgeoisé."

"J'ai acheté un sweat Balenciaga à mon assistant
pour le motiver."

"J'étais assis à côté d'une cliente couture
qui avait une photo de Poutine
sur la coque de son téléphone."

"Elle a créé une nouvelle pierre complètement inédite
donc Björk vient faire un concert ce soir pour fêter ça."

"Il m'a envoyé un texto super gentil super mignon
et ensuite un second texto désolé fausse manip
mauvais destinataire."

"Je crois que je l'inspire parce
que je suis tout bêtement dans la vie."

"Une bonne idée c'est la chose évidente
qu'on aurait déjà dû inventer. Une bonne mode
c'est la chose à laquelle on n'aurait jamais dû inventer."

"Il n'a pas pris le job parce qu'il le voulait,
il en a déjà trop, mais parce qu'il ne voulait pas
que quelqu'un d'autre que lui chope ce poste."

"C'est inspiré par les poudres japonaises mises au point
pour les geishas en 1917 quand on est passé de la bougie
à la lumière électrique."

"Je ne comprends pas les gens qui achètent encore
des choses. Je préfère vivre des choses que les posséder."

"Aujourd'hui je n'étais pas inspiré
donc ce soir je me saoule comme ça demain
avec la gueule de bois je serai à nouveau sensible
et à fleur de peau."

"Il n'y a que Proust qui me comprend."

"Alors, votre nouveau sac a eu du succès ?
– Beyoncé a appelé."

"Faites attention en sortant de la boutique.
Les gens se font beaucoup voler les sacs neufs."

"Je fais le tri dans mes livres et j'en jette plein.
Je ne garde que les exemplaires qu'on m'a dédicacés.
– Tant pis pour *Guerre et Paix*…"

"Elle n'a plus d'idées alors elle change d'avis."

"On a cinq procès d'anciens stagiaires.
On ne peut plus du tout les harceler comme avant."

"Elle est punk comme un baby-sitter
qui fume le cigare à l'intérieur."

"Je viens de m'acheter un château génial pour que dalle."

"J'arrive pas à savoir si c'est beau ou ridicule."

"Comme on défile dans un grand endroit
on a voulu de grandes robes."

"Il est un très bon coup mais j'aurais préféré un bon coup
de soleil avec du sable blanc et une glace au citron."

"Le défilé a commencé par une vidéo d'immeuble
qui s'effondre, et les fringues c'était pas de bras
pas de chocolat."

"Elle n'a pas lésiné sur le plastique
mais j'imagine qu'elle en avait marre de passer
autant de temps sur Photoshop."

"Elle parle en sandwich diplomatique,
en glissant une horreur entre deux compliments.
Ça donne : je l'adore, elle est complètement dépassée,
mais quel talent. Compliment, horreur, compliment."

"Elle a fait son congé mat' au Château Marmont."

"Pour une fois il a terminé la collection quelques jours
en avance alors pour se défouler il a fait refaire
tout le décor aux équipes."

"J'ai déjeuné avec une amie déprimée.
C'était triste mais ça m'a fait réaliser
que ça va super bien pour moi."

"Ce sont des frites de patates douces vegan."

"Il est parfait, il me fait oublier la pollution, il me fait
croire qu'il a inventé l'amour et Paris vide."

"D'habitude je suis assez dur, assez logique.
Mais là j'ai voulu me surprendre."

"À demain ! Parce que oui demain c'est déjà demain,
c'est assez fou d'ailleurs."

"Tu dis pas livide, tu dis mystérieuse. Tu dis pas maigre,
tu dis très belle. Tu dis pas émaciée, tu dis divine.
Tu dis pas cadavérique, tu dis envoûtante."

"J'ai fait une chenille hier soir à une fête
et ce matin c'est partout sur les réseaux sociaux
j'en peux plus."

"Elle vient avec trois assistants sur les défilés
pour trier les photos dans son téléphone et crier
son prénom quand elle sort de la voiture
et attirer l'attention des photographes."

"Désolé il ne te donnera pas d'interview pour ton papier
mais tu peux le citer en brodant un truc sur la Parisienne
iconique et sensuelle, tu feras ça très bien."

"Arrête de trop penser."

"Ça c'est le bouquet sobre qu'on envoie
aux collaborateurs en cas de burn out."

"C'était pas nul mais c'était vraiment trop
compréhensible."

"Elle a annulé la séance photo en extérieurs
parce que la lumière était trop nerveuse pour elle."

"J'ai rien fait ce week-end, j'ai à peine pris deux ecstas
mais c'était thérapeutique pour cramer les mauvaises
énergies de la semaine."

"C'était un peu trop parfait pour être parfait."

"Elle a dit qu'elle se retirait des réseaux sociaux.
Elle a tenu trois jours."

"Je viens de bosser 38 jours non-stop sans pause
sans heure sup rien. Que personne ne vienne
me parler de sa fatigue."

"Il a le pénis qui raye le parquet."

"Je suis allé sur la muraille de Chine et franchement
c'est un mur quoi."

"C'est une porte ouvrante."

"J'ai horriblement mal dormi. Je pensais à la Création."

Table

« Loïc Prigent sort un second livre encore plus drôle que le premier. »

Vogue

Disponible en poche chez

RÉALISATION : NORD COMPO À VILLENEUVE-D'ASCQ
IMPRESSION : NORMANDIE ROTO IMPRESSION S.A.S. À LONRAI
DÉPÔT LÉGAL : NOVEMBRE 2017. N° 135799-6 (2204909)
IMPRIMÉ EN FRANCE